La cuisine réussie

Saveurs d'Italie

La cuisine réussie
Saveurs d'Italie

Visualisez les étapes de vos préparations

Bath • New York • Singapore • Hong Kong • Cologne • Delhi
Melbourne • Amsterdam • Johannesburg • Auckland • Shenzhen

Copyright © Parragon Books Ltd
Queen Street House
4 Queen Street
Bath, BA1 1HE
Royaume-Uni

Design : Talking Design
Photographies : Mike Cooper
Conseiller : Lincoln Jefferson
Nouvelles recettes : Christine France
Introduction : Linda Doeser

Réalisation : InTexte, Toulouse

ISBN : 978-1-4454-4043-9

Imprimé en Chine
Printed in China

Note aux lecteurs
Une cuillerée à soupe correspond à 15 à 20 g d'ingrédients secs et à 15 ml d'ingrédients liquides.
Une cuillerée à café correspond à 3 à 5 g d'ingrédients secs et à 5 ml d'ingrédients liquides.
Sans autre précision, le lait est entier, les œufs sont de taille moyenne et le poivre est du poivre noir fraîchement moulu.
Les temps de préparation et de cuisson des recettes pouvant varier en fonction, notamment, du four utilisé, ils sont donnés à titre indicatif.
La consommation des œufs crus ou peu cuits n'est pas recommandée aux enfants, aux personnes âgées, malades ou convalescentes et aux femmes enceintes.

Sommaire

Introduction

Ce superbe livre de cuisine, avec ses photographies d'une aide inestimable, aura assurément une place de choix dans votre bibliothèque. Les recettes sont claires, très simples à suivre, magnifiquement illustrées et surtout très appétissantes. Quelles que soient vos compétences de cuisinier, vous ne pourrez que réussir brillamment vos petits plats.

Chaque recette débute par une photographie de tous les ingrédients. Il ne s'agit pas d'une image placée là pour faire joli – ni, encore moins utile, d'un montage qui ne serait pas à l'échelle et dans lequel une pince de crabe ferait la même taille qu'un canard. Cette photographie est au contraire d'une grande utilité, car elle vous permettra de vérifier que tout est prêt dans votre cuisine avant que vous ne commenciez à cuisiner. D'un simple coup d'œil, vous pourrez comparer avec le livre les ingrédients posés sur votre plan de travail, et ainsi vérifier que vous n'avez rien oublié et que tout est paré, haché, émincé et détaillé tel que la recette l'exige.

Dans les recettes, chaque étape est courte et expliquée clairement, sans jargon culinaire ni terme technique. Une fois encore, ce que vous voyez sur la photographie doit correspondre à ce que vous avez en face de vous. En plus d'être rassurante pour les cuisiniers débutants, cette méthode offre aux plus expérimentés de revoir les bases ou de glaner ici et là quelques nouvelles techniques. Chaque recette se termine par une photographie du plat achevé accompagnée de suggestions de service.

Pourquoi ce livre est-il indispensable?

La cuisine italienne est l'une des plus savoureuses du monde, et le régime alimentaire méditerranéen est l'un des plus sains qui soit. Les plats italiens sont très variés et plaisent aux adultes, comme aux enfants, ce qui les rend tout indiqués pour les repas de famille. La clé de voûte de cette cuisine est la simplicité, mais chaque recette est préparée avec amour et soin pour mettre en valeur toute la saveur des ingrédients, choisis avec attention.

Les 60 recettes proposées dans cet ouvrage vous permettront de recréer la présentation, le goût et la texture authentiques des plats venus d'Italie, le tout sans quitter votre cuisine. Vous pourrez choisir le plat qui vous fait envie pour un simple repas en semaine ou proposer un dîner italien dans les règles de l'art. Vous commencerez alors par une soupe ou un *antipasto* (entrée), puis vous servirez le primo piatto (un premier plat à base de pâtes ou de riz) et à la suite le *segondo piatto* (un second plat composé de viande, de volaille ou de poisson), et enfin un fabuleux dessert, une pâtisserie fondante ou une glace faite maison, par exemple.

>1 >2 >3

>1

>2

>3

>4

>5

>6

>1 >2 >3

Les clés du succès

> Pour préparer des plats simples et composés de peu d'ingrédients, choisissez les produits les plus frais et de la meilleure qualité possible. De préférence, utilisez des fruits et légumes de saison.

> Pour plus d'authenticité, préférez des conserves, du riz et des pâtes de marques italiennes. De même, la farine italienne destinée à la confection des pâtes est la plus appropriée.

> Utilisez toujours de l'huile d'olive, et italienne si possible. L'huile d'olive vierge extra, produite par première pression à froid, est la meilleure – et aussi la plus chère. Réservez-la aux sauces de salades. L'huile d'olive vierge, ou de deuxième pression, est parfaite pour la cuisson. L'huile d'olive « pure », quant à elle, provient de la troisième ou quatrième pression, et sa saveur est plutôt décevante.

> Achetez toujours du parmesan en bloc, et râpez-le au fur et à mesure. Enveloppez-le de film alimentaire et conservez-le au réfrigérateur. Le parmesan vendu râpé est plus onéreux et perd vite sa saveur.

> Les pâtes sèches se conservent longtemps, or ce n'est pas le cas de tous les ingrédients. Jetez donc toujours un œil sur les dates de péremption de produits tels que la farine, la polenta ou les fruits secs. La levure fraîche se périme très rapidement – pensez-y avant de vous lancer dans la préparation d'une pizza. Les épices aussi perdent vite leur parfum, achetez-les donc en petites quantités et conservez-les à l'abri de la chaleur et de la lumière.

> Pour préparer des pâtes, prévoyez 4 litres d'eau et 3 cuillerées à soupe de sel pour 300 à 450 g de pâtes – le sel évite aux pâtes de coller entre elles et n'est pas absorbé lors de la cuisson. Portez l'eau salée à ébullition dans une grande casserole. N'ajoutez pas d'huile, c'est inutile. Plongez les pâtes dans l'eau, remuez et laissez revenir à ébullition avant de démarrer le minuteur. Ne réduisez pas le feu : l'eau doit toujours bouillir à gros bouillon. Faites cuire 8 à 12 minutes des pâtes sèches non farcies, et 2 à 3 minutes des pâtes fraîches non farcies ; faites cuire 15 à 20 minutes des pâtes sèches farcies, et 8 à 10 minutes des pâtes fraîches farcies. Égouttez les pâtes dans une passoire, en veillant à les laisser légèrement humides. Pour tester la cuisson, cassez-en un petit morceau avec une fourchette et croquez-le avec les dents de devant. Vous devez sentir le morceau *al dente*, c'est-à-dire « tendre mais toujours ferme sous la dent ». Il est conseillé de commencer à tester la cuisson avant la fin du temps imparti.

> Pour préparer de la polenta, déterminez d'abord si votre polenta est « à l'ancienne » ou « instantanée », celle-ci étant plus rapide à cuire. Pour les deux types, portez 1,2 l d'eau salée à ébullition dans une grande casserole. Versez 175 g de polenta en pluie d'une main en remuant vigoureusement de l'autre avec une cuillère en bois de façon à ce que l'eau soit bien absorbée. Faites cuire la polenta instantanée 3 à 4 minutes sans cesser de remuer et la polenta traditionnelle 40 à 45 minutes à feu très doux en remuant souvent. Une fois prête, la polenta se détache des parois de la casserole.

>4 >5 >6

Les raccourcis

> Ne tentez jamais de réduire les temps de cuisson. Les Italiens aiment tout autant mitonner de bons petits plats que les déguster. Certains plats, le risotto notamment, requièrent une attention soutenue et constante.

> Pour peler l'ail, écrasez-le d'abord légèrement avec le plat d'un couteau. Cette opération facilitera le retrait de la peau.

> Utilisez des ciseaux de cuisine pour émincer les tomates séchées, le proscuitto, la pancetta, les anchois, les olives et les fines herbes, plutôt que de perdre du temps et de l'énergie avec un couteau et une planche à découper.

> Ciselez la salade et les fines herbes fragiles telles que le basilic avec les doigts plutôt qu'avec un couteau. Cela est plus rapide et évite d'abîmer les feuilles.

> Pour peler les tomates et les pêches, fendez-leur la peau, mettez-les dans un plat et couvrez-les d'eau bouillante. Laissez reposer 30 secondes à 1 minute, puis égouttez et ôtez la peau. Cette astuce vaut aussi pour les échalotes, évitez toutefois de les ébouillanter.

> Pour peler les poivrons, mettez-les sur une plaque et passez-les 10 à 15 minutes au gril en les retournant souvent, jusqu'à ce que la peau soit calcinée. Mettez alors les poivrons dans un sac en plastique, fermez et laissez tiédir. Ouvrez ensuite le sac et pelez les poivrons.

> Mettez les ingrédients des vinaigrettes et autres sauces pour salades dans une petite bouteille, fermez et secouez vigoureusement.

> Pour faire de la chapelure, ôtez la croûte de tranches de pain, coupez la mie en morceaux, puis ajoutez progressivement les morceaux dans un robot de cuisine en marche.

> Si vous prévoyez d'utiliser le four ou le gril, allumez-les dès la première étape de la préparation de la recette. Les fours peuvent mettre jusqu'à 15 minutes pour atteindre la température requise.

L'équipement

> **Casseroles :** une batterie de casseroles à fond épais de bonne qualité et équipées de couvercles adaptés est un investissement indispensable qui vous suivra toute votre vite. La série doit comprendre plusieurs formats pour vous assurer d'avoir toujours la casserole appropriée à la quantité d'aliments que vous cuisinez. Les pâtes, par exemple, doivent cuire dans beaucoup d'eau pour ne pas coller ou déborder. De même, vous aurez besoin de place pour remuer votre risotto sans éclabousser. Les casseroles de tailles inférieures sont parfaites pour les légumes et les sauces : dans une casserole trop grande, les aliments peuvent brûler ou ne pas cuire de façon homogène. Les revêtements antiadhésifs sont, eux, une question de choix personnel.

> **Casserole à pâtes :** il s'agit d'une grande casserole équipée d'un panier intégré permettant d'égoutter les pâtes sans avoir à les transférer dans une passoire. Cet équipement n'est pas indispensable et peut, en outre, prendre beaucoup de place dans les placards.

> **Passoire :** utilisez-la pour égoutter les pâtes ou dessaler des légumes, comme les aubergines. Elle doit mesurer au moins 28 cm de diamètre et posséder un socle qui assure la stabilité. Les poignées sont aussi très pratiques.

> **Poêles :** à l'achat, choisissez un modèle large et à fond épais. Toutefois, une poêle de taille moyenne peut aussi être utile, notamment pour cuire des croûtons, préparer des omelettes ou faire griller du poisson.

> **Couteaux :** des couteaux de bonne qualité, lourds et bien équilibrés sont essentiels dans une cuisine. Veillez à ce qu'ils soient toujours bien aiguisés – investissez pour cela dans un bon aiguisoir –, et rangez-les dans un bloc adapté. Les couteaux très aiguisés ne sont pas les plus simples à utiliser, mais ils sont aussi plus fiables car moins susceptibles de glisser.

> **Terrines et jattes :** une série de grands récipients est indispensable pour mélanger les ingrédients avant la cuisson, battre les œufs ou préparer de la pâte. Veillez à disposer de récipients résistants à la chaleur pour cuire ou faire fondre certaines préparations au bain-marie.

> **Machine à pâte :** si vous comptez préparer de grandes quantités de pâtes vous-même, cet outil vous épargnera du travail. Certaines machines sont électriques, d'autres s'actionnent manuellement, mais toutes fonctionnent selon le même principe. Divisez la pâte en 6 portions – enveloppez celles dont vous ne vous servez pas pour éviter qu'elles ne sèchent. Aplatissez une portion, pliez-la en trois et faites-la passer dans la longueur entre les rouleaux réglés au cran le plus large. Répétez l'opération trois ou quatre fois, puis réservez dans un torchon. Procédez à l'identique avec les portions restantes. Réglez les rouleaux au cran inférieur et passez de nouveau les portions dans la machine, sans les plier cette fois. Poursuivez en réduisant chaque fois d'un cran l'écart entre les rouleaux jusqu'au cran le plus étroit. Ne cédez pas à la tentation de sauter un cran. Découpez ensuite les pâtes selon la forme souhaitée à la main ou avec la machine, si celle-ci est équipée de l'outil adéquat.

> **Rouleaux à pâtisserie et planches à découper:** vous n'avez pas nécessairement besoin d'une machine pour étaler la pâte lorsque vous préparez vous-même des pâtes fraîches. Vous pouvez tout à fait utiliser un rouleau à pâtisserie. Toutefois, la pâte réagit mal avec les surfaces froides, préférez donc l'emploi d'une planche à découper en bois. Vous pouvez juste saupoudrer la surface de farine pour éviter à la pâte de coller, mais l'utilisation de semoule fine procure un meilleur résultat, et une saveur moins farineuse. Pliez et étalez les portions de pâte, comme si vous utilisiez une machine à pâtes, en procédant le plus progressivement possible. Des rouleaux à pâtisserie en bois de tailles très variables sont souvent commercialisés avec des roulettes adaptées aux découpes de différentes formes de pâtes. Conservez les pâtes fraîches dans un récipient hermétique et manipulez-les avec précaution car ces dernières sont très fragiles.

> **Plaques à raviolis:** il s'agit de plaques métalliques divisées en carrés incurvés. Cela permet de préparer des raviolis de formes régulières et de les sceller de façon plus fiable.

> **Roulette crantée:** cet outil permet de découper des pâtes de toutes les formes imaginables en toute simplicité.

> **Mortiers et pilons:** ces ustensiles sont indispensables pour piler, moudre et mélanger des ingrédients, et surtout préparer le traditionnel pesto.

> **Tamis:** un tamis fin et en acier inoxydable permet de tamiser la farine, égoutter des légumes, filtrer des sauces et saupoudrer de cacao ou de sucre glace de façon homogène. Les tamis en nylon sont également utiles pour les préparations acides, tels que les purées de fruits, qui pourraient s'oxyder au contact du métal.

> **Râpes:** une râpe cubique présente plusieurs formes et tailles. Elle est simple d'emploi mais prend de la place et se révèle souvent difficile à nettoyer (utilisez une brosse à vaisselle). Une râpe électrique est moins dangereuse et moins fatigante à utiliser, surtout avec des ingrédients tels que le chocolat. Les râpes plates prennent quant à elles peu de place et présentent différentes finesses de coupe.

>1

>2

>3

Antipasti

Salade de jambon et salami aux figues

Pour 6 personnes

Ingrédients

6 figues mûres
6 fines tranches de prosciutto
12 fines tranches de salami

1 petite botte de basilic frais,
séparée en petits brins
quelques brins de menthe
fraîche

1 poignée de feuilles de
roquette
4 cuil. à soupe d'huile d'olive
vierge extra

2 cuil. à soupe de jus de citron
sel et poivre

>1 Ôter la tige des figues en ne laissant qu'un court tronçon, puis couper les figues en quartiers.

>2 Répartir le jambon et le salami sur un grand plat de service.

>3 Laver et sécher les fines herbes et la roquette, puis les mettre dans une terrine avec les quartiers de figues.

>4 Fouetter le jus de citron avec l'huile dans un petit bol, puis saler et poivrer.

>5 Verser la sauce dans la terrine contenant les figues, la roquette et les fines herbes. Mélanger le tout délicatement de façon à bien répartir la sauce.

>6 Répartir le mélange obtenu dans le plat de service sur le jambon et le salami.

Servir immédiatement.

Bruschetta aux champignons

Pour 4 personnes

Ingrédients

4 tranches de pain au levain

3 gousses d'ail, 1 gousse coupée en deux et 2 gousses finement hachées

225 g d'un mélange de champignons, des cèpes, des chanterelles et des champignons de Paris, par exemple

3 cuil. à soupe d'huile d'olive vierge extra

25 g de beurre

1 petit oignon, finement haché

50 ml de vin blanc sec

sel et poivre

2 cuil. à soupe de persil plat frais grossièrement haché, en garniture

> **1** Préchauffer le gril à température moyenne. Passer les tranches de pain au gril des deux côtés jusqu'à ce qu'elles soient bien grillées.

> **2** Frotter les tranches de pain avec les demi-gousses d'ail et les arroser avec 2 cuillerées à soupe d'huile. Réserver au chaud.

> **3** Bien essuyer les champignons de façon à retirer les résidus de terre et couper les plus gros.

> **4** Chauffer l'huile restante et la moitié du beurre dans une poêle, ajouter les champignons et cuire 3 à 4 minutes à feu moyen sans cesser de remuer, jusqu'à ce qu'ils soient tendres. Retirer les champignons de la poêle à l'aide d'une écumoire et les réserver au chaud.

>5 Chauffer le beurre restant dans la poêle, ajouter l'oignon et l'ail haché, et cuire 3 à 4 minutes sans cesser de remuer, jusqu'à ce qu'ils soient tendres. Mouiller avec le vin, mélanger et laisser bouillir 2 à 3 minutes, jusqu'à ce que la préparation ait réduit.

>6 Remettre les champignons dans la poêle et les réchauffer à cœur. La sauce doit être assez épaisse pour enrober les champignons. Saler et poivrer à volonté.

Répartir les champignons sur
les tranches de pain, garnir de persil
et servir immédiatement.

Soupe de tomates fraîches aux pâtes

Pour 4 personnes

Ingrédients

1 cuil. à soupe d'huile d'olive
4 grosses tomates olivettes
1 oignon, coupé en quartiers
1 gousse d'ail, finement
   émincée
1 branche de céleri,
   grossièrement hachée
500 ml de bouillon de poule
55 g de pâtes à potage
sel et poivre
persil plat frais haché,
   en garniture

> **>1** Verser l'huile dans une grande casserole
> à fond épais et ajouter les tomates, l'oignon,
> l'ail et le céleri. Couvrir et cuire 45 minutes
> à feu doux en secouant de temps en temps
> la casserole, jusqu'à obtention d'une
> consistance épaisse.

> **>2** Transférer la préparation dans
> un robot de cuisine et réduire
> en purée homogène.

Répartir la soupe dans des assiettes creuses, garnir de persil et servir immédiatement.

>3 Passer la purée au travers d'un tamis au-dessus d'une casserole propre.

>4 Ajouter le bouillon et porter à ébullition. Ajouter les pâtes, porter de nouveau à ébullition et cuire 8 à 10 minutes, jusqu'à ce que les pâtes soient *al dente*. Saler et poivrer à volonté.

Salade de haricots verts et blancs

Pour 4 personnes

Ingrédients

100 g de haricots blancs secs, mis à tremper une nuit et égouttés

12 olives noires, dénoyautées

225 g de haricots verts, éboutés

¼ d'oignon rouge, émincé

1 cuil. à soupe de ciboulette fraîche ciselée

Sauce

½ cuil. à soupe de jus de citron

½ cuil. à café de moutarde de Dijon

6 cuil. à soupe d'huile d'olive vierge extra

sel et poivre

> **1** Mettre les haricots blancs dans une grande casserole. Couvrir d'eau froide et porter à ébullition. Laisser bouillir 15 minutes à gros bouillons, puis réduire le feu et laisser mijoter encore 30 minutes, jusqu'à ce que les haricots blancs soient tendres. Égoutter et réserver.

> **2** Pendant ce temps, plonger les haricots verts dans une grande casserole d'eau bouillante. Porter de nouveau à ébullition et laisser bouillir 4 minutes, jusqu'à ce qu'ils soient *al dente*. Égoutter et réserver.

> **3** Battre ensemble les ingrédients de la sauce, puis saler et poivrer à volonté et laisser reposer.

> **4** Transférer les haricots blancs et verts encore tièdes dans un plat de service.

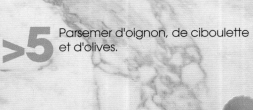

>5 Parsemer d'oignon, de ciboulette
et d'olives.

>6 Battre de nouveau la sauce
et la verser dans le plat.

Servir à température ambiante.

Moules gratinées au parmesan

Pour 4 personnes

Ingrédients

1 kg de moules fraîches
2 cuil. à soupe d'huile d'olive
2 échalotes, finement
  hachées
1 gousse d'ail, hachée

50 ml de vin blanc sec
40 g de chapelure blanche
  fraîche
zeste finement râpé d'un citron
3 cuil. à soupe de persil plat
  frais haché

30 g de parmesan frais,
  finement râpé
sel et poivre

>1 Nettoyer les moules en grattant les coquilles et en les ébarbant. Jeter les moules dont la coquille est brisée et celles qui ne se ferment au toucher.

>2 Chauffer la moitié de l'huile dans une grande casserole, ajouter les échalotes et l'ail, et les faire revenir 2 à 3 minutes, jusqu'à ce qu'ils soient tendres. Ajouter les moules et le vin, couvrir et cuire 2 à 3 minutes à feu vif en secouant souvent la casserole, jusqu'à ce que les moules soient ouvertes.

>3 Jeter les moules qui sont restées fermées. Égoutter les moules restantes en réservant le jus de cuisson, et éliminer les valves supérieures de coquilles. Si nécessaire, porter le jus de cuisson à ébullition de sorte qu'il réduise et qu'il ne reste plus que l'équivalent de 3 cuillerées à soupe.

>4 Mélanger la chapelure, le zeste de citron, le persil et le parmesan, ajouter le jus de cuisson, puis saler et poivrer à volonté.

31

>5 Préchauffer le gril à température maximale.
Mettre les demi-coquilles dans un plat
allant au four et répartir le mélange à base
de chapelure dessus.

>6 Arroser avec l'huile restante et passer
2 à 3 minutes au gril préchauffé,
jusqu'à ce que la garniture
soit bouillonnante.

Transférer dans un plat de service
et servir immédiatement.

Salade tricolore

Pour 4 personnes

Ingrédients
280 g de mozzarella, égouttée
8 tomates olivettes
20 brins de basilic frais
125 ml d'huile d'olive vierge
  extra
sel et poivre

>**1** Couper la mozzarella en fines tranches.

>**2** Couper les tomates en fines tranches.

Servir immédiatement.

>3 Répartir les tranches de tomates et de mozzarella dans 4 assiettes, puis saler à volonté. Laisser reposer 30 minutes au frais.

>4 Parsemer de basilic, arroser d'huile d'olive et poivrer à volonté.

Poivrons et tomates grillés

Pour 4 personnes

Ingrédients

2 poivrons rouges	4 tomates, coupées en deux	3 gousses d'ail, hachées
2 poivrons jaunes	1 cuil. à soupe d'huile d'olive	2 cuil. à soupe de thym frais
2 poivrons orange	1 oignon, coupé en fines rouelles	haché
		sel et poivre

> **1** Préchauffer le gril à température moyenne. Couper les poivrons en deux et les épépiner.

> **2** Répartir les demi-poivrons sur deux plaques de four, côté coupé vers le bas, et les passer 10 minutes au gril préchauffé.

> **3** Ajouter les tomates sur les plaques de four et cuire encore 5 minutes, jusqu'à ce que la peau des poivrons et des tomates ait noirci.

> **4** Mettre les poivrons dans un sac en plastique et les laisser suer 10 minutes. Cette opération rendra les poivrons plus faciles à peler.

> **5** Peler les tomates et concasser la chair.

> **6** Peler les poivrons et couper la chair en fines lanières.

> **7** Chauffer l'huile dans une grande poêle, ajouter l'ail et l'oignon et faire revenir 3 à 4 minutes en remuant de temps en temps, jusqu'à ce qu'ils soient tendres.

> **8** Ajouter les poivrons et les tomates, et cuire 5 minutes. Incorporer le thym, puis saler et poivrer à volonté.

Transférer dans un plat de service
et servir chaud ou froid.

Soupe de chou aux haricots traditionnelle

Pour 6 personnes

Ingrédients

200 g de haricots blancs
secs, mis à tremper une nuit
et égouttés
3 cuil. à soupe d'huile d'olive
2 oignons rouges, concassés

4 carottes, émincées
4 branches de céleri,
grossièrement émincées
4 gousses d'ail, grossièrement
hachées
600 ml de bouillon de légumes

400 g de tomates concassées
en boîte
2 cuil. à soupe de persil plat
frais haché
500 g de cavolo nero (chou
italien), paré et émincé

1 petit pain ciabatta
rassis, coupé en petits
morceaux
sel et poivre
huile d'olive vierge extra,
en garniture

>1 Mettre les haricots dans un grand faitout, couvrir d'eau froide et porter à ébullition. Écumer la surface, réduire le feu et laisser mijoter 1 h 30 sans couvrir, jusqu'à ce que les haricots soient tendres.

>2 Pendant ce temps, chauffer l'huile d'olive dans une grande casserole, ajouter les oignons, les carottes et le céleri, et cuire 10 à 15 minutes à feu moyen, jusqu'à ce qu'ils soient tendres. Ajouter l'ail et cuire encore 1 à 2 minutes.

>3 Égoutter les haricots blancs en réservant le jus de cuisson. Ajouter la moitié des haricots dans la casserole avec le bouillon, les tomates et le persil. Saler et poivrer à volonté.

>4 Porter à frémissement et cuire 30 minutes sans couvrir en remuant de temps en temps. Ajouter le chou et cuire encore 15 minutes en remuant de temps en temps.

>5 Mettre les haricots restants dans un robot de cuisine, ajouter un peu d'eau de cuisson réservée et réduire en pâte homogène. Ajouter la pâte dans la casserole.

>6 Ajouter le pain. La soupe doit être assez épaisse. Ajouter du jus de cuisson réservé pour la fluidifier légèrement si nécessaire.

Répartir dans des assiettes à soupe
chaudes, arroser d'un peu d'huile d'olive
vierge extra et servir immédiatement.

Frittata aux courgettes

Pour 4 à 6 personnes

Ingrédients
1 oignon rouge
4 courgettes
3 cuil. à soupe d'huile d'olive
1 gousse d'ail, finement
   hachée
5 gros œufs
4 cuil. à soupe de persil plat
   frais haché
sel et poivre

>1 Émincer finement l'oignon et couper les courgettes en dés de 1 cm.

>2 Chauffer l'huile dans une poêle, ajouter les oignons, les courgettes et l'ail, et faire revenir en remuant de temps en temps jusqu'à ce qu'ils soient tendres.

Couper la frittata en parts
et la servir chaude ou froide.

>3 Battre les œufs avec du sel et du poivre,
et les verser dans la poêle. Incorporer
le persil et cuire 10 minutes à feu doux,
jusqu'à ce que les œufs aient presque pris.

>4 Préchauffer le gril à température maximale.
Passer la frittata au gril jusqu'à ce que les œufs
aient complètement pris et qu'elle soit dorée.

Crostini à la florentine

Pour 6 personnes

Ingrédients

6 tranches de pain ciabatta
2 gousses d'ail, 1 gousse
 coupée en deux
 et 1 gousse écrasée
2 cuil. à soupe d'huile d'olive
 vierge extra

3 cuil. à soupe d'huile d'olive
1 oignon, haché
1 branche de céleri, hachée
1 carotte, hachée
125 g de foies de volaille
125 g de foies de veau,
 d'agneau ou de porc

150 ml de vin rouge
1 cuil. à soupe de concentré
 de tomates
2 cuil. à soupe de persil plat
 frais haché
3 à 4 filets d'anchois en boîte,
 égouttés et finement hachés

2 cuil. à soupe d'eau
25 à 40 g de beurre
1 cuil. à soupe de câpres
sel et poivre

>**1** Préchauffer le gril à température moyenne. Passer les tranches de pain au gril des deux côtés jusqu'à ce qu'elles soient bien dorées.

>**2** Frotter les tranches de pain avec les demi-gousses d'ail et les arroser d'huile d'olive vierge extra. Transférer les tranches de pain sur une plaque de four et les réserver au chaud.

>**3** Chauffer l'huile d'olive dans une casserole, ajouter l'oignon, le céleri, la carotte et l'ail haché, et cuire 4 à 5 minutes à feu doux, jusqu'à ce que l'oignon soit tendre sans avoir doré.

>**4** Pendant ce temps, rincer et sécher les foies de volaille. Sécher les foies de veau et les couper en lanières.

>**5** Ajouter les foies dans la poêle et les faire revenir quelques minutes à feu doux, jusqu'à ce qu'ils soient uniformément saisis. Mouiller avec la moitié du vin et cuire jusqu'à ce qu'il se soit presque évaporé.

>**6** Ajouter le vin restant, le concentré de tomates, la moitié du persil, les anchois, l'eau, un peu de sel et beaucoup de poivre. Couvrir et laisser mijoter 15 à 20 minutes en remuant de temps en temps, jusqu'à ce que la quasi-totalité du liquide soit absorbée.

>**7** Laisser tiédir, transférer dans un robot de cuisine et réduire en purée épaisse.

>**8** Remettre la purée dans la casserole, ajouter le beurre, les câpres et le persil restant, et réchauffer à feu doux jusqu'à ce que le beurre ait fondu. Rectifier l'assaisonnement.

48

Servir chaud ou froid,
tartiné sur le pain grillé.

Salade de roquette aux pignons et parmesan

Pour 4 personnes

Ingrédients

2 poignées de feuilles
  de roquette
1 petit bulbe de fenouil

5 cuil. à soupe d'huile d'olive
2 cuil. à soupe de vinaigre
  balsamique
100 g de parmesan

50 g de pignons
sel et poivre

>1 Laver la roquette, jeter les feuilles flétries et les tiges épaisses, puis sécher et répartir dans 4 assiettes.

>2 Couper le bulbe de fenouil en deux et l'émincer finement. Le répartir dans les assiettes.

>3 Battre l'huile avec le vinaigre, du sel et du poivre. Arroser le contenu de chaque assiette avec la sauce obtenue.

>4 Couper le parmesan en copeaux à l'aide d'un couteau ou d'un économe.

>5 Faire griller les pignons à sec dans
une poêle jusqu'à ce qu'ils soient dorés.

>6 Garnir la salade de copeaux
de parmesan et de pignons grillés.

Servir immédiatement.

53

Carpaccio de bœuf mariné

Pour 4 personnes

Ingrédients
200 g de filet de bœuf,
  en une seule pièce
2 cuil. à soupe de jus de citron
4 cuil. à soupe d'huile d'olive
  vierge extra
55 g de copeaux de parmesan
4 cuil. à soupe de persil plat
  frais haché
sel et poivre
quartiers de citron,
  en garniture
pain frais,
  en accompagnement

>1 À l'aide d'un couteau très tranchant,
couper le filet de bœuf en tranches
aussi fines que du papier et les répartir
sur 4 assiettes.

>2 Verser le jus de citron dans
un petit bol, incorporer l'huile,
puis saler et poivrer à volonté.

Garnir de quartiers de citron et servir
accompagné de pain frais.

>3 Verser le mélange précédent sur le bœuf,
couvrir de film alimentaire et laisser mariner
10 à 15 minutes.

>4 Retirer et jeter le film alimentaire. Répartir
les copeaux de parmesan au centre
de chaque assiette et garnir de persil.

Soupe de pommes de terre au pesto

Pour 4 personnes

Ingrédients

450 g de pommes de terre
farineuses
3 tranches de pahcetta,
hachées
2 cuil. à soupe d'huile d'olive
450 g d'oignons, finement
hachés

600 ml de bouillon de poule
600 ml de lait
100 g de conchigliettes sèches
150 ml de crème fraîche
épaisse
2 cuil. à soupe de persil plat
frais haché
sel et poivre

copeaux de parmesan,
en garniture

Pesto

55 g de persil plat frais haché
2 gousses d'ail, hachées
2 cuil. à soupe de basilic
frais haché

55 g de pignons
55 g de parmesan, râpé
150 ml d'huile d'olive

> **1** Pour le pesto, mettre tous les ingrédients dans un robot de cuisine et mixer 2 minutes, ou piler le tout à la main dans un mortier.

> **2** Peler les pommes de terre et les couper en dés.

> **3** Dans une grande casserole, cuire la pancetta 4 minutes à feu moyen. Ajouter l'huile, les pommes de terre et les oignons, et cuire le tout 12 minutes sans cesser de remuer.

> **4** Verser le bouillon et le lait dans la casserole, porter à ébullition et laisser mijoter 10 minutes.

>5 Ajouter les pâtes et cuire encore 10 à 12 minutes.

>6 Incorporer la crème fraîche et laisser mijoter 5 minutes. Ajouter le persil et 2 cuillerées à soupe de pesto. Saler et poivrer à volonté.

Répartir la soupe dans des assiettes
à soupe chaudes et servir garni
de copeaux de parmesan.

Sardines aux pignons et aux raisins secs

Pour 4 personnes

Ingrédients

1 petit oignon rouge, finement émincé

1 cuil. à soupe d'huile d'olive

4 cuil. à soupe de jus de citron

55 g de pignons légèrement grillés, un peu plus pour la garniture

8 à 12 sardines fraîches, nettoyées, étêtées

55 g de raisins secs

4 cuil. à soupe de persil plat frais haché, un peu plus pour la garniture

sel et poivre

>**1** Préchauffer le four à 200 °C (th. 6-7).
Mettre l'oignon dans une casserole
avec l'huile et 3 cuillerées à soupe
de jus de citron.

>**2** Cuire 2 à 3 minutes à feu moyen sans cesser
de remuer, jusqu'à ce que l'oignon soit tendre.
Retirer du feu et incorporer les raisins secs.

>**3** Ajouter le persil et les pignons
au mélange à base d'oignon.

>**4** Mettre les sardines sur une planche à découper,
arête centrale vers le haut et presser fermement
le long de l'arête centrale avec le pouce.
Retourner les sardines et ôter toutes les arêtes.

Répartir la garniture à base d'oignon
sur la chair des sardines et les rouler.

 Disposer les sardines farcies en une
seule couche dans un plat allant au
four, saler et poivrer, puis arroser avec
le jus de citron restant. Cuire environ
10 minutes au four préchauffé.

Servir chaud ou froid, garni de pignons
et de persil.

Crudités et leur dip aux anchois et à l'ail

Pour 4 personnes

Ingrédients

40 g de beurre doux
3 gousses d'ail, hachées
6 filets d'anchois en saumure, rincés
150 ml d'huile d'olive
crudités, poivrons, céleri, fenouil et oignons blancs, par exemple

>1 Mettre le beurre et l'ail dans une casserole à fond épais, chauffer à feu doux sans cesser de remuer jusqu'à ce que le beurre ait fondu.

>2 Cuire encore 2 minutes à feu doux sans cesser de remuer, jusqu'à ce que l'ail soit tendre sans avoir bruni.

Servir chaud en accompagnement
des crudités.

>3 Ajouter les anchois et l'huile, puis poursuivre
la cuisson sans cesser de remuer jusqu'à
ce que les anchois se dissolvent et que la
sauce soit crémeuse.

>4 Préparer les crudités, les couper en bâtonnets
et les dresser sur un plat de service.

>1

>2

>3

Primi piatti

>4 >5 >6

Tagliatelles et leur sauce à la viande

Pour 4 personnes

Ingrédients

4 cuil. à soupe d'huile d'olive, un peu plus pour arroser

85 g de pancetta ou de lard, coupés en dés

1 oignon, haché

1 gousse d'ail, finement hachée

1 carotte, hachée

1 branche de céleri, hachée

225 g de viande de bœuf hachée

115 g de foies de volaille, hachés

2 cuil. à soupe de coulis de tomates

125 ml de vin blanc sec

225 ml de bouillon de bœuf

1 cuil. à soupe d'origan frais haché

1 feuille de laurier

450 g de tagliatelles sèches

sel et poivre

parmesan râpé, en garniture

>1 Chauffer l'huile dans une grande casserole à fond épais. Ajouter la pancetta et cuire 3 à 5 minutes à feu moyen en remuant, jusqu'à ce qu'elle soit dorée.

>2 Ajouter l'oignon, l'ail, la carotte et le céleri, et cuire encore 5 minutes sans cesser de remuer.

>3 Ajouter le bœuf et cuire 5 minutes à feu vif en brisant les morceaux de viande à l'aide d'une cuillère en bois, jusqu'à ce qu'ils soient dorés.

>4 Incorporer les foies de volaille et cuire encore 2 à 3 minutes en remuant de temps en temps.

>5 Ajouter le coulis de tomates, le vin, le bouillon, l'origan et le laurier, puis saler et poivrer à volonté. Porter à ébullition, réduire le feu et couvrir. Laisser mijoter 30 à 35 minutes.

>6 Pendant ce temps, porter une casserole d'eau légèrement salée à ébullition. Ajouter les pâtes, porter de nouveau à ébullition et cuire 8 à 10 minutes, jusqu'à ce qu'elles soient *al dente*.

>7 Égoutter les pâtes et les transférer dans un plat de service chaud. Arroser d'un peu d'huile et bien mélanger.

>8 Retirer la feuille de laurier de la sauce et la jeter. Verser la sauce sur les pâtes et mélanger de nouveau.

Servir immédiatement
garni de parmesan râpé.

Risotto au poulet et au safran

Pour 4 personnes

Ingrédients

125 g de beurre
900 g de blancs de poulet désossés et sans peau, émincés

1 gros oignon, haché
500 g de riz pour risotto
150 ml de vin blanc
1 cuil. à café de pistils de safran pilés

1,3 l de bouillon de poule, chaud
55 g de parmesan, râpé
sel et poivre

> **1** Chauffer 55 g de beurre dans un grand faitout. Ajouter le poulet et l'oignon, et cuire 8 minutes en remuant souvent, jusqu'à ce qu'ils soient dorés.

> **2** Ajouter le riz et mélanger de façon à bien l'enrober de beurre. Cuire 2 à 3 minutes sans cesser de remuer, jusqu'à ce que les grains de riz soient translucides.

> **3** Mouiller avec le vin et cuire 1 minute sans cesser de remuer, jusqu'à ce qu'il ait réduit.

> **4** Délayer le safran dans 4 cuillerées à soupe de bouillon chaud. Ajouter le mélange obtenu dans le faitout et cuire jusqu'à ce qu'il soit absorbé par le riz.

>5 Ajouter progressivement le bouillon restant, une louche à la fois. Attendre que chaque louche soit absorbée avant d'ajouter la suivante. Cuire ainsi 20 minutes sans cesser de remuer, jusqu'à ce que tout le bouillon ait été absorbé et que le riz soit bien crémeux.

>6 Retirer le faitout du feu et incorporer le beurre restant. Ajouter le parmesan et remuer jusqu'à ce qu'il ait fondu. Saler et poivrer à volonté.

Transférer le risotto dans un plat de service chaud et servir immédiatement.

Macaronis aux pois chiches et à l'ail

Pour 4 personnes

Ingrédients

350 g de macaronis secs
3 cuil. à soupe d'huile d'olive
1 oignon, finement haché
1 gousse d'ail, hachée
400 g de pois chiches en boîte,
   égouttés
4 cuil. à soupe de coulis
   de tomates
2 cuil. à soupe d'origan frais
   haché
1 petite poignée de feuilles de
   basilic, ciselée, plus quelques
   brins pour la garniture
sel et poivre

> **>1** Porter à ébullition une casserole d'eau légèrement salée. Ajouter les pâtes, porter de nouveau à ébullition et cuire 8 à 10 minutes, jusqu'à ce qu'elles soient *al dente*. Bien égoutter.

> **>2** Pendant ce temps, chauffer l'huile dans une poêle, ajouter l'oignon et l'ail, et faire revenir 4 à 5 minutes en remuant de temps en temps, jusqu'à ce qu'ils soient dorés.

Servir les pâtes dans des grandes assiettes creuses garnies de brins de basilic.

>3 Ajouter les pois chiches et le coulis de tomates, et remuer jusqu'à ce que le tout soit bien chaud.

>4 Incorporer le contenu de la poêle aux pâtes et ajouter l'origan et le basilic ciselé. Saler et poivrer à volonté.

Cannellonis aux épinards et à la ricotta

Pour 4 personnes

Ingrédients
beurre fondu,
  pour graisser
12 cannellonis secs,
  chacun de 7,5 cm
  de longueur
sel et poivre

Garniture
140 g d'épinards surgelés,
  décongelés et égouttés
115 g de ricotta
1 œuf
3 cuil. à soupe de pecorino
  râpé

1 pincée de noix
  muscade fraîchement
  râpée

Béchamel au fromage
25 g de beurre
2 cuil. à soupe de farine

600 ml de lait, chaud
85 g de gruyère,
  fraîchement râpé

>1 Préchauffer le four à 180 °C (th. 6). Badigeonner un plat rectangulaire allant au four.

>2 Porter une grande casserole d'eau légèrement salée à ébullition. Ajouter les pâtes, porter de nouveau à ébullition et cuire 6 à 7 minutes, jusqu'à ce qu'elles soient presque tendres. Égoutter, rincer et étaler sur un torchon propre.

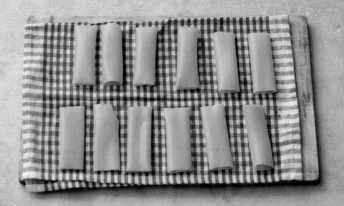

>3 Pour la garniture, mettre les épinards et la ricotta dans un robot de cuisine et hacher brièvement de façon à bien mélanger. Ajouter l'œuf et le pecorino, et réduire en pâte homogène. Transférer dans une terrine, ajouter la noix muscade, puis saler et poivrer à volonté.

>4 Transférer la garniture dans une poche à douille équipée d'un embout de 1 cm de diamètre. Farcir délicatement les cannellonis et répartir le tout dans le plat.

>5 Pour la béchamel au fromage, faire fondre le beurre dans une casserole, ajouter la farine et cuire 1 minute à feu doux sans cesser de remuer.

>6 Retirer la casserole du feu et incorporer progressivement le lait chaud. Remettre la casserole sur le feu et porter à ébullition sans cesser de remuer. Laisser mijoter 10 minutes à feu doux en remuant de temps en temps, jusqu'à obtention d'une consistance épaisse et homogène.

>7 Retirer du feu, incorporer le gruyère, puis saler et poivrer à volonté.

>8 Napper les cannellonis de béchamel au fromage, couvrir de papier d'aluminium et cuire 20 à 25 minutes au four préchauffé.

Servir immédiatement.

Polenta grillée aux graines de fenouil

Pour 4 personnes

Ingrédients

- 1 l d'eau
- 200 g de polenta instantanée
- 1 cuil. à soupe de graines
  de fenouil
- 25 g de beurre
- 2 cuil. à soupe de persil plat
  frais haché
- huile d'olive, pour graisser
- sel et poivre

Verser l'eau dans une casserole, saler
à volonté et porter à ébullition.
Ajouter la polenta en pluie sans cesser
de remuer.

 Cuire 5 minutes à feu moyen sans cesser de
remuer, jusqu'à ce que la polenta épaississe
et se détache des parois de la casserole.

> 3 Retirer du feu et incorporer le beurre,
les graines de fenouil et le persil. Poivrer
à volonté.

> 4 Huiler un plat rectangulaire allant au four.
Répartir la polenta dans le plat, lisser
la surface et laisser prendre.

>5 Démouler la polenta et la découper
en tranches.

>6 Préchauffer le gril à température maximale.
Huiler les tranches de polenta et les passer
au gril jusqu'à ce qu'elles soient dorées
et croustillantes.

Servir immédiatement. Cette recette constitue un accompagnement parfait pour un plat de poisson ou de viande grillés.

Risotto aux petits pois et au gorgonzola

Pour 4 personnes

Ingrédients

2 cuil. à soupe d'huile d'olive
25 g de beurre
1 oignon, finement haché
1 gousse d'ail, finement
  hachée
350 g de riz pour risotto
150 ml de vin blanc sec
1,3 l de bouillon de légumes,
  chaud
350 g de petits pois surgelés
150 g de gorgonzola, émietté
2 cuil. à soupe de menthe
  fraîche hachée
sel et poivre

 1 Chauffer l'huile et le beurre dans une grande casserole, ajouter l'oignon et cuire 3 à 4 minutes en remuant souvent, jusqu'à ce qu'il soit tendre.

>2 Ajouter l'ail et le riz, et remuer de façon à les enduire de beurre et d'huile. Cuire 2 à 3 minutes sans cesser de remuer, jusqu'à ce que les grains de riz soient translucides. Mouiller avec le vin et cuire 1 minute sans cesser de remuer, jusqu'à ce qu'il ait réduit.

Servir le risotto immédiatement.

> **3** Incorporer le bouillon chaud, une louche à la fois. Cuire 15 minutes sans cesser de remuer, puis ajouter les petits pois et cuire encore 5 minutes, jusqu'à ce que tout le bouillon soit absorbé et le riz crémeux.

> **4** Retirer la casserole du feu. Incorporer le gorgonzola et la menthe, puis saler et poivrer à volonté.

Raviolis au crabe et à la ricotta

Pour 4 personnes

Ingrédients
300 g de farine
1 cuil. à café de sel
3 œufs, battus
70 g de beurre, fondu

Garniture
175 g de chair de crabe
  blanche
175 g de ricotta
zeste finement râpé d'un citron

1 pincée de flocons
  de piments
2 cuil. à soupe de persil plat
  frais haché
sel et poivre

>1 Tamiser la farine et le sel sur une planche à découper ou un plan de travail. Creuser un puits au centre et y verser l'œuf.

>2 Mélanger à l'aide d'une fourchette en incorporant progressivement l'œuf à la farine de façon à obtenir une pâte.

>3 Pétrir la pâte environ 5 minutes, jusqu'à ce qu'elle soit homogène. Envelopper de film alimentaire et laisser reposer 20 minutes.

>4 Pour la garniture, mélanger la chair de crabe, la ricotta, le zeste de citron, les flocons de piment et le persil. Saler et poivrer à volonté.

>5 Étaler la pâte à l'aide d'une machine à pâte ou à la main de sorte qu'elle ait 3 mm d'épaisseur, puis découper 32 carrés de 6 cm de côté.

>6 Déposer une cuillerée à café de garniture au centre de 16 carrés.

>7 Enduire les bords de chaque carré garni avec de l'eau, puis déposer les carrés non garnis par-dessus et presser fermement pour sceller.

>8 Porter une casserole d'eau légèrement salée à ébullition. Ajouter les raviolis, porter de nouveau à ébullition et cuire environ 3 minutes, jusqu'à ce qu'ils soient *al dente*. Bien égoutter.

Arroser les raviolis de beurre
fondu, saupoudrer de poivre
et servir immédiatement.

Pizza aux tomates et à la mozzarella

Pour 2 personnes

Ingrédients
Pâte à pizza

225 g de farine, un peu plus
  pour saupoudrer
1 cuil. à café de sel

1 cuil. à soupe de levure
  de boulanger déshydratée
1 cuil. à soupe d'huile d'olive,
  un peu plus pour graisser
6 cuil. à soupe d'eau tiède

Garniture

6 tomates, coupées en fines
  rondelles
175 g de mozzarella, égouttée
  et coupée en fines rondelles

2 cuil. à soupe de basilic frais
  ciselé
2 cuil. à soupe d'huile d'olive
sel et poivre

>1 Pour préparer la pâte, tamiser la farine et le sel dans une terrine et incorporer la levure. Creuser un puits au centre et y verser l'huile et l'eau.

>2 Les mains farinées, incorporer progressivement les ingrédients secs au liquide. Transférer le tout sur un plan de travail fariné et pétrir 5 minutes, jusqu'à obtention d'une pâte souple et élastique.

>3 Mettre la pâte dans une terrine propre, couvrir de film alimentaire préalablement huilé et laisser lever 1 heure près d'une source de chaleur, jusqu'à ce que la pâte ait doublé de volume.

>4 Préchauffer le four à 230 °C (th. 7-8). Huiler légèrement une plaque de four.

>5 Déposer la pâte sur un plan de travail fariné et la pétrir brièvement, puis l'étaler en un rond de 5 mm d'épaisseur.

>6 Transférer le rond de pâte sur la plaque huilée et repousser les bords avec les doigts de façon à former une petite bordure.

>7 Pour la garniture, répartir les rondelles de tomates et de mozzarella sur la pâte.

>8 Saler et poivrer, parsemer de basilic et arroser d'huile. Cuire 20 à 25 minutes au four préchauffé, jusqu'à ce que la pizza soit bien dorée.

Couper en parts
et servir immédiatement.

Pappardelles aux tomates, à la roquette et à la mozzarella

Pour 4 personnes

Ingrédients
400 g de pappardelles sèches
2 cuil. à soupe d'huile d'olive
1 gousse d'ail, hachée
350 g de tomates cerises,
  coupées en deux
85 g de feuilles de roquette
300 g de mozzarella, coupée
  en dés
sel et poivre
parmesan râpé, en garniture

> **1** Porter une casserole d'eau légèrement salée à ébullition. Ajouter les pâtes, porter de nouveau à ébullition et cuire 8 à 10 minutes, jusqu'à ce qu'elles soient *al dente*.

> **2** Pendant ce temps, chauffer l'huile dans une poêle à feu moyen, ajouter l'ail et faire revenir 1 minute sans cesser de remuer et sans laisser brunir.

Servir les pâtes dans
de grandes assiettes
creuses saupoudrées
de parmesan.

>**3** Ajouter les tomates, puis saler et poivrer
à volonté. Cuire 2 à 3 minutes à feu doux,
jusqu'à ce qu'elles soient tendres.

>**4** Égoutter les pâtes et les ajouter dans la poêle.
Incorporer la roquette et la mozzarella,
puis faire revenir jusqu'à ce que les feuilles
de roquette soient flétries.

Boulettes de risotto farcies

Pour 3 à 4 personnes

Ingrédients

1 cuil. à soupe d'huile d'olive
40 g de beurre
1 petit oignon, finement haché
450 g de riz pour risotto

2 l de bouillon de légumes, chaud
55 g de parmesan, râpé
115 g de mozzarella, égouttée et coupée en cubes

1 œuf, battu
115 g de chapelure fraîche
huile, pour la friture
sel et poivre

>**1** Faire fondre 25 g de beurre avec l'huile dans un grand faitout, ajouter l'oignon et cuire 5 minutes en remuant souvent, jusqu'à ce qu'il soit tendre.

>**2** Ajouter le riz et mélanger jusqu'à ce qu'il soit bien enrobé d'huile et de beurre. Cuire 2 à 3 minutes en remuant souvent, jusqu'à ce que les grains de riz soient translucides.

>**3** Ajouter progressivement le bouillon chaud, une louche à la fois, en veillant à ce que le riz ait bien absorbé le bouillon avant d'ajouter la louche suivante. Cuire 20 minutes sans cesser de remuer, jusqu'à ce que le bouillon soit complètement absorbé et le riz crémeux.

>**4** Retirer le faitout du feu et incorporer le beurre restant. Ajouter le parmesan et remuer jusqu'à ce qu'il ait fondu. Saler et poivrer à volonté, puis laisser refroidir complètement.

> **5** Déposer 1 cuillerée à soupe de risotto dans la paume d'une main, placer un cube de mozzarella au centre et couvrir le tout avec une seconde cuillerée à soupe de risotto. Presser pour former une boule en veillant à ce que le fromage soit bien enfermé dans le riz. Répéter l'opération avec le risotto et le fromage restants.

> **6** Laisser les boulettes reposer 10 minutes, puis les plonger dans l'œuf battu. Les égoutter et les passer dans la chapelure, en les secouant de façon à ôter l'excédent. Mettre 10 minutes au réfrigérateur.

> **7** Chauffer l'huile de friture dans un faitout jusqu'à ce qu'elle atteigne 180 ou 190 °C (un dé de pain doit y brunir en 30 secondes). Plonger délicatement les boulettes dans l'huile et faire frire 5 minutes, jusqu'à ce qu'elles soient dorées. Procéder en plusieurs fournées.

> **8** Retirer les boulettes de l'huile à l'aide d'une écumoire et les égoutter sur du papier absorbant.

Laisser tiédir légèrement
avant de servir.

Gnocchis et leur pesto aux noix

Pour 4 personnes

Ingrédients

450 g de pommes de terre
  farineuses
55 g de parmesan,
  râpé

1 œuf, battu
200 g de farine,
  un peu plus pour
  saupoudrer
sel et poivre

Pesto aux noix
40 g persil plat frais, haché
2 cuil. à soupe de câpres,
  rincées
2 gousses d'ail, hachées

175 ml d'huile d'olive vierge
  extra
70 g de noix, hachées
40 g de pecorino
  ou de parmesan, râpé

>1 Cuire les pommes de terre avec leur peau 30 à 35 minutes à l'eau bouillante, jusqu'à ce qu'elles soient tendres. Bien égoutter et laisser tiédir.

>2 Pendant ce temps, mettre les ingrédients du pesto dans un robot de cuisine et mixer 2 minutes, ou piler le tout dans un mortier.

>3 Peler les pommes de terre et les réduire en purée en les faisant passer au travers d'un tamis ou dans un moulin à légumes.

>4 Saler, poivrer et incorporer le parmesan. Ajouter l'œuf et la farine, et bien mélanger.

>5 Transférer la pâte sur un plan de travail fariné et la pétrir légèrement jusqu'à ce qu'elle soit homogène. Ajouter de la farine si la pâte est trop collante.

>6 Façonner la pâte en un long boudin, puis la détailler en morceaux de 2,5 cm. Presser chaque morceau avec les dents d'une fourchette de sorte que sa surface soit cannelée.

>7 Déposer les gnocchis sur une plaque farinée et les couvrir d'un torchon jusqu'au moment de la cuisson.

>8 Porter une grande casserole d'eau à ébullition, ajouter les gnocchis et les cuire 1 à 2 minutes. Procéder en plusieurs fournées. Égoutter les gnocchis à l'aide d'une écumoire et les transférer dans un plat de service.

Servir immédiatement,
nappé de pesto aux noix.

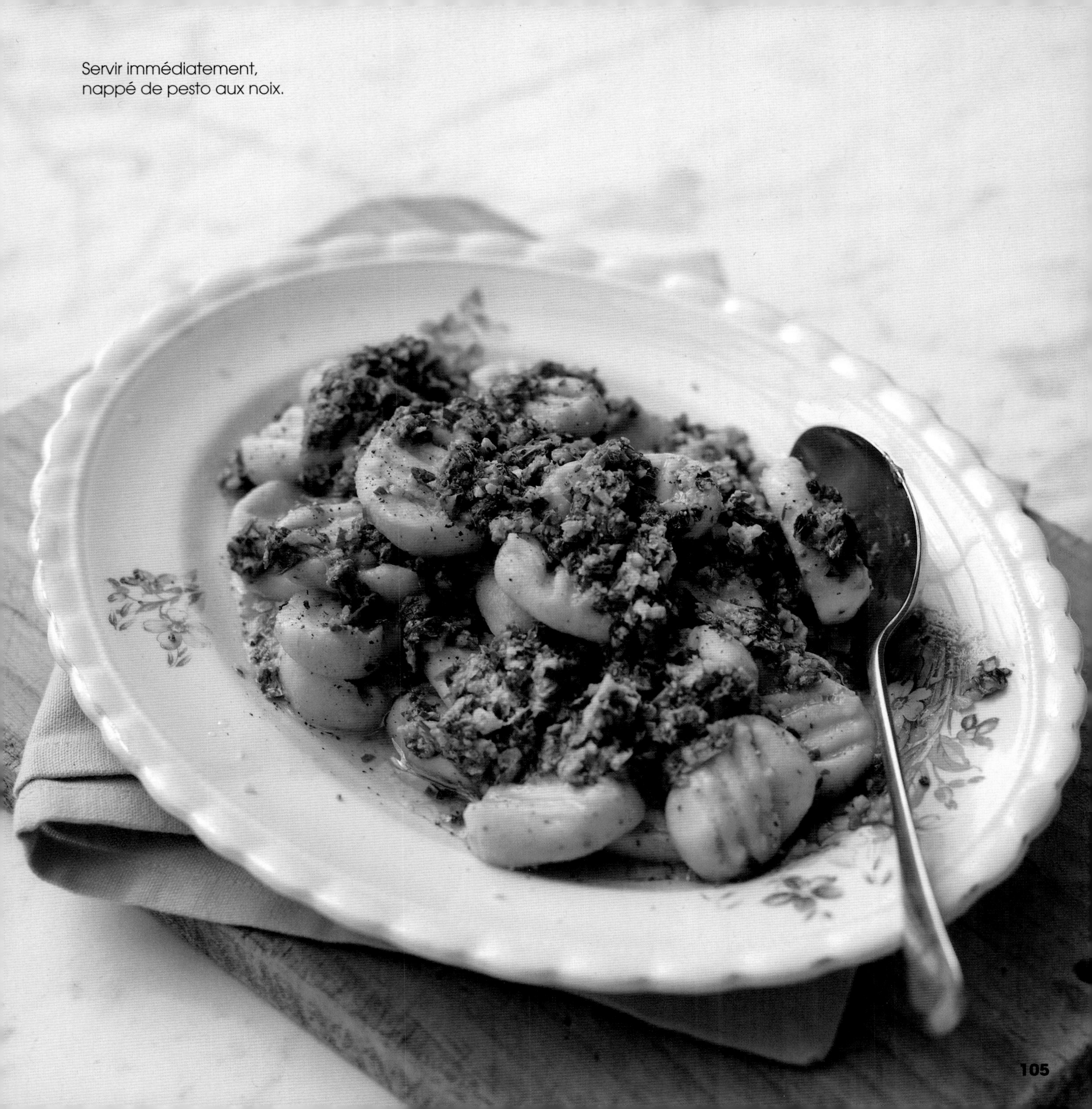

Linguines aux anchois et aux olives

Pour 4 personnes

Ingrédients

3 cuil. à soupe d'huile d'olive
2 gousses d'ail, hachées
10 filets d'anchois, égouttés
  et séchés
140 g d'olives noires,
  dénoyautées et hachées
1 cuil. à soupe de câpres,
  rincées
450 g de tomates olivettes,
  pelées, épépinées et
  hachées
piment de Cayenne et sel
400 g de linguines sèches
2 cuil. à soupe de persil plat
  frais haché, en garniture

>1 Chauffer l'huile dans une poêle à fond épais, ajouter l'ail et cuire 2 minutes à feu doux en remuant souvent. Ajouter les anchois et les réduire en purée à l'aide d'une fourchette.

>2 Ajouter les olives, les câpres, les tomates et le piment de Cayenne. Couvrir et laisser mijoter 25 minutes.

Garnir de persil et servir
immédiatement.

> **>3** Pendant ce temps, porter une casserole
> d'eau légèrement salée à ébullition.
> Ajouter les pâtes, porter de nouveau
> à ébullition et cuire 8 à 10 minutes,
> jusqu'à ce qu'elles soient *al dente*.

> **>4** Égoutter les pâtes et les transférer dans
> un plat de service. Ajouter la sauce et bien
> mélanger à l'aide de deux fourchettes.

Lasagnes au poulet et aux champignons

Pour 4 à 6 personnes

Ingrédients

2 cuil. à soupe d'huile d'olive

1 gros oignon, finement haché

500 g de poulet ou de dinde, hachés

100 g de pancetta fumée, hachée

250 g de champignons de Paris, hachés

100 g de cèpes séchés, mis à tremper

150 ml de vin blanc sec

400 g de tomates concassées en boîte

3 cuil. à soupe de basilic frais haché

9 feuilles de lasagnes sèches

3 cuil. à soupe de parmesan frais râpé

sel et poivre

Sauce blanche

600 ml de lait

55 g de beurre

55 g de farine

1 feuille de laurier

> **1** Préchauffer le four à 190 °C (th. 6-7). Pour la sauce, mettre le lait, le beurre, la farine et le laurier dans une casserole et cuire sans cesser de fouetter jusqu'à obtention d'une consistance homogène et épaisse. Saler et poivrer à volonté, couvrir et laisser reposer.

> **2** Chauffer l'huile dans un grand faitout, ajouter les oignons et les faire revenir 3 à 4 minutes sans cesser de remuer.

> **3** Ajouter le poulet et la pancetta, et cuire 6 à 8 minutes. Incorporer les champignons de Paris et les cèpes, et cuire encore 2 à 3 minutes.

> **4** Mouiller avec le vin et porter à ébullition. Ajouter les tomates, couvrir et laisser mijoter 20 minutes. Incorporer le basilic.

>**5** Pendant ce temps, porter une grande casserole d'eau salée à ébullition. Ajouter les feuilles de lasagnes, porter de nouveau à ébullition et cuire selon les instructions figurant sur le paquet. Bien égoutter et sécher sur du papier absorbant.

>**6** Déposer 3 feuilles de lasagnes dans le fond d'un plat rectangulaire allant au four, puis y déposer un tiers de la garniture au poulet.

>**7** Retirer la feuille de laurier de la sauce et la jeter. Étaler un tiers de la sauce sur la garniture. Répéter l'opération deux fois en terminant par une couche de sauce.

>**8** Saupoudrer de parmesan et cuire 35 à 40 minutes au four préchauffé, jusqu'à ce que la sauce soit bien dorée et bouillonnante.

Risotto aux fruits de mer

Pour 4 personnes

Ingrédients

150 ml de vin blanc sec
4 petits calmars, nettoyés
  et coupés en rondelles
250 g de crevettes crues,
  décortiquées et déveinées

250 g de moules fraîches,
  grattées et ébarbées
2 cuil. à soupe d'huile d'olive
55 g de beurre
2 gousses d'ail, finement
  hachées

1 oignon, finement haché
2 feuilles de laurier
350 g de riz pour risotto
1,5 l de fumet de poisson
  chaud
sel et poivre

persil plat frais haché,
  pour la garniture

> **1** Dans une casserole, porter le vin à ébullition. Ajouter les calmars et les crevettes, couvrir et cuire 2 minutes. Les retirer de la casserole à l'aide d'une écumoire et réserver.

> **2** Jeter les moules dont la coquille est cassée et celles qui ne se ferment pas au toucher. Mettre les moules restantes dans la casserole, couvrir et cuire 2 à 3 minutes, jusqu'à ce qu'elles se soient ouvertes. Jeter toutes les moules qui sont restées fermées. Égoutter en réservant le jus de cuisson, et décoquiller.

> **3** Chauffer l'huile avec le beurre dans un grand faitout, ajouter l'oignon et cuire 3 à 4 minutes en remuant souvent, jusqu'à ce qu'il soit tendre.

> **4** Ajouter l'ail, le laurier et le riz, et mélanger de sorte que le riz soit bien enrobé de beurre et d'huile. Cuire 2 à 3 minutes sans cesser de remuer, jusqu'à ce que les grains de riz soient translucides.

>5 Ajouter le jus de cuisson réservé, puis verser progressivement le fumet chaud, une louche à la fois. Cuire 15 minutes sans cesser de remuer, jusqu'à ce que la totalité du fumet soit absorbé et le riz crémeux.

>6 Incorporer les fruits de mer cuits, couvrir et cuire encore 2 minutes, jusqu'à ce qu'ils soient bien chauds. Saler et poivrer à volonté.

Servir le risotto immédiatement,
garni de persil.

Calzones

Pour 4 personnes

Ingrédients
2 portions de pâte à pizza
 (*voir* page 92)
farine, pour saupoudrer

Garniture
2 cuil. à soupe d'huile d'olive,
 un peu plus pour graisser
1 oignon rouge, finement émincé
1 gousse d'ail, hachée
400 g de tomates concassées
 en boîte
55 g d'olives noires dénoyautées
200 g de mozzarella, égouttée
 et coupée en cubes
1 cuil. à soupe d'origan frais haché

> **1** Préchauffer le four à 200 °C (th. 6-7). Dans
une poêle, chauffer l'huile, ajouter l'oignon
et l'ail, et cuire 5 minutes, jusqu'à ce qu'ils
soient tendres. Ajouter les tomates et cuire
encore 5 minutes. Incorporer les olives.

> **2** Diviser la pâte en 4 pâtons. Étaler
chaque pâton sur un plan de travail
légèrement fariné pour obtenir
des ronds de 20 cm de diamètre.

Laisser reposer 2 minutes
avant de servir.

>3 Répartir la garniture sur la moitié
de chaque rond en laissant une marge
sur les bords. Garnir de mozzarella
et d'origan. Humecter les bords, rabattre
la moitié non garnie des ronds sur
la garniture et presser fermement.

>4 Huiler légèrement deux plaques de four.
Déposer les calzones sur les plaques
et cuire 15 minutes au four préchauffé,
jusqu'à ce qu'elles soient dorées et
croustillantes.

>1

>2

>3

Segondi piatti

>4

>5

>6

Veau au prosciutto et à la sauge

Pour 4 personnes

Ingrédients

4 escalopes de veau
2 cuil. à soupe de jus
 de citron
4 tranches de prosciutto

1 cuil. à soupe de sauge
 fraîche ciselée
55 g de beurre
3 cuil. à soupe de vin blanc sec
sel et poivre

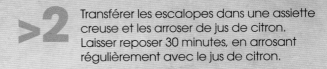

>**1** Placer les escalopes de veau entre 2 morceaux de film alimentaire et les aplatir à l'aide d'un rouleau à pâtisserie.

>**2** Transférer les escalopes dans une assiette creuse et les arroser de jus de citron. Laisser reposer 30 minutes, en arrosant régulièrement avec le jus de citron.

>**3** Sécher le veau avec du papier absorbant, le saler et le poivrer, puis le parsemer avec la moitié de la sauge. Déposer une tranche de prosciutto sur chaque escalope et fixer à l'aide d'une pique à cocktail.

>**4** Faire fondre le beurre dans une poêle à fond épais, ajouter la sauge restante et cuire 1 minute à feu doux sans cesser de remuer.

>5 Ajouter les escalopes dans la poêle
et les cuire 3 à 4 minutes de chaque côté,
jusqu'à ce qu'elles soient dorées. Verser
le vin et cuire encore 2 minutes. Procéder
en plusieurs fournées si nécessaire.

>6 Transférer les escalopes dans
des assiettes chaudes et les arroser
avec le jus de cuisson. Retirer
les piques à cocktail.

Brochettes de lotte et leur mayonnaise au basilic

Pour 2 à 4 personnes

Ingrédients

1 gousse d'ail, hachée
zeste finement râpé et jus
  d'un citron
2 cuil. à soupe d'huile d'olive

500 g de filets de lotte,
  coupés en cubes de 3 cm
2 oignons rouges, coupés
  en fins quartiers
sel et poivre

Mayonnaise au basilic

2 jaunes d'œufs
1 cuil. à soupe de jus de citron
1 cuil. à café de moutarde
  de Dijon

150 ml d'huile de tournesol
150 ml d'huile d'olive vierge
  extra
55 g de feuilles de basilic
  fraîches, hachées

>1 Mélanger l'ail, le jus et le zeste de citron et l'huile d'olive, puis saler et poivrer à volonté. Ajouter le poisson, couvrir et laisser mariner 30 minutes au réfrigérateur.

>2 Pour préparer la mayonnaise au basilic, fouetter les jaunes d'œufs avec le jus de citron et la moutarde jusqu'à obtention d'une consistance homogène.

>3 Verser progressivement l'huile de tournesol sans cesser de fouetter de sorte que la mayonnaise commence à prendre.

>4 Verser l'huile d'olive en mince filet continu sans cesser de fouetter jusqu'à obtention d'une mayonnaise épaisse et onctueuse. Incorporer le basilic et ajouter du sel et du poivre si nécessaire.

>5 Préchauffer le gril à température maximale. Égoutter la lotte en réservant la marinade. Piquer les morceaux de lotte en alternant avec les quartiers d'oignons sur 4 brochettes métalliques ou en bois préalablement mises à tremper.

>6 Passer les brochettes au gril préchauffé 6 à 8 minutes en les retournant régulièrement et en les arrosant souvent avec la marinade réservée, jusqu'à ce qu'elles soient dorées.

Servir les brochettes
chaudes, accompagnées
de la mayonnaise au basilic.

127

Steaks grillés aux tomates et à l'ail

Pour 4 personnes

Ingrédients

3 cuil. à soupe d'huile d'olive,
  un peu plus pour graisser
700 g de tomates, pelées
  et concassées
1 poivron rouge, épépiné
  et haché
1 oignon rouge, haché
2 gousses d'ail, hachées
1 cuil. à soupe de persil plat
  frais haché
1 cuil. à café d'origan séché
1 cuil. à café de sucre
4 steaks, d'environ 175 g
  chacun
sel et poivre

>1 Mettre l'huile, les tomates, le poivron, l'oignon, l'ail, le persil, l'origan et le sucre dans une casserole, puis saler et poivrer à volonté. Porter à ébullition, réduire le feu et laisser mijoter encore 15 minutes.

>2 Pendant ce temps, dégraisser les steaks, puis bien les poivrer et les badigeonner d'huile.

Transférer les steaks sur des assiettes chaudes et les garnir de sauce aux tomates et à l'ail.

>3 Préchauffer un gril en fonte rainuré jusqu'à ce qu'il soit fumant.

>4 Ajouter la viande et cuire selon son goût : 2 minutes à 2 min 30 de chaque côté pour de la viande saignante ; 3 minutes à 3 min 30 de chaque côté pour une viande à point ; 4 min 30 à 5 minutes de chaque côté pour une viande bien cuite.

Gratin d'aubergines à la mozzarella

Pour 6 à 8 personnes

Ingrédients
3 aubergines, coupées
   en fines rondelles

huile d'olive, pour graisser

115 g de parmesan, râpé

300 g de mozzarella, égouttée
   et coupée en rondelles

3 cuil. à soupe de chapelure
   blanche sèche

15 g de beurre

Sauce tomate au basilic
2 cuil. à soupe d'huile d'olive

4 échalotes, hachées

2 gousses d'ail, hachées

1 cuil. à café de sucre

400 g de tomates olivettes
   en boîte

8 feuilles de basilic frais,
   ciselées

sel et poivre

>1 Préchauffer le four à 200 °C (th. 6-7). Huiler un plat allant au four.

>2 Répartir les rondelles d'aubergines en une seule couche sur 2 grandes plaques de four. Les badigeonner d'huile et les cuire 15 à 20 minutes au four préchauffé, jusqu'à ce qu'elles soient tendres.

>3 Pendant ce temps, préparer la sauce. Chauffer l'huile dans une casserole, ajouter les échalotes et cuire 5 minutes, jusqu'à ce qu'elles soient tendres. Ajouter l'ail et cuire encore 1 minute.

>4 Ajouter les tomates et les écraser à l'aide d'une cuillère en bois. Ajouter le sucre, puis saler et poivrer. Porter à ébullition, réduire le feu et laisser mijoter environ 10 minutes, jusqu'à ce que la sauce épaississe. Incorporer le basilic.

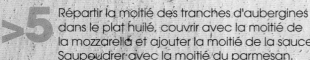

>5 Répartir la moitié des tranches d'aubergines dans le plat huilé, couvrir avec la moitié de la mozzarella et ajouter la moitié de la sauce. Saupoudrer avec la moitié du parmesan.

>6 Mélanger la chapelure avec le parmesan restant. Répéter l'opération précédente en terminant par le mélange à base de chapelure. Parsemer de noix de beurre et cuire 25 minutes au four, préchauffé, jusqu'à ce que la chapelure soit bien dorée.

Laisser reposer 5 minutes avant de servir.

Blancs de poulet en croûte de parmesan

Pour 4 personnes

Ingrédients

4 blancs de poulet
  désossés et sans peau
5 cuil. à soupe de pesto

40 g de chapelure de ciabatta
25 g de parmesan, râpé
zeste finement râpé
  d'un demi-citron

2 cuil. à soupe d'huile d'olive
sel et poivre
tomates cerises rôties,
  en accompagnement

> 1 Préchauffer le four à 220 °C (th. 7-8). Inciser profondément chaque blanc de poulet de façon à y former une poche.

> 2 Ouvrir les blancs et farcir chaque poche avec 1 cuillerée à soupe de pesto.

> 3 Refermer les blancs de poulet et les mettre dans un plat allant au four.

> 4 Mélanger le pesto restant avec la chapelure, le parmesan et le zeste de citron.

>5 Répartir le mélange à base de chapelure sur les blancs de poulet. Saler et poivrer, puis arroser d'huile d'olive.

>6 Cuire 20 minutes au four préchauffé, jusqu'à ce que le poulet rende un jus clair lorsqu'on le pique dans sa partie la plus charnue avec une brochette.

Servir chaud, accompagné
de tomates cerises rôties.

Bar au fenouil, aux olives et au thym

Pour 4 personnes

Ingrédients

4 bars d'environ 300 g chacun,
 nettoyés
2 bulbes de fenouil
12 olives vertes dénoyautées
jus et zeste finement râpé
 d'un citron
3 cuil. à soupe d'huile d'olive
175 ml de vin blanc sec
3 cuil. à soupe de thym frais
 haché
sel et poivre

> **1** Préchauffer le four à 200 °C (th. 6-7). Pratiquer 3 incisions dans un des flancs de chaque bar. Déposer les poissons dans un plat allant au four.

> **2** Parer les bulbes de fenouil en réservant les frondes. Les couper en tranches de 5 mm d'épaisseur et les blanchir 1 minute à l'eau bouillante. Les égoutter et les déposer autour des poissons avec les olives.

Transférer le tout dans un plat de service et garnir des frondes de fenouil réservées.

>3 Fouetter légèrement le jus de citron avec le zeste, l'huile, le vin et le thym, puis saler et poivrer à volonté.

>4 Verser la sauce dans le plat et cuire 30 à 35 minutes au four préchauffé, jusqu'à ce que la chair des bars se détache de l'arête centrale.

Légumes frits et leur sauce au vinaigre balsamique

Pour 4 personnes

Ingrédients

900 g environ d'un mélange
  de légumes, des épinards,
  des courgettes, du brocoli,
  du chou-fleur, des oignons
  et des carottes, par exemple

175 g de farine
2 œufs, battus
125 ml de bière
huile d'olive ou de tournesol,
  pour la friture
sel et poivre

Sauce

6 cuil. à soupe de vinaigre
  balsamique
1 cuil. à café de moutarde
  douce
1 cuil. à café de miel liquide

> **1** Parer les légumes et les couper en cubes.

> **2** Tamiser la farine dans une terrine, puis saler et poivrer à volonté. Creuser un puits au centre et y verser les œufs et la bière.

> **3** Mélanger le tout, puis fouetter vigoureusement jusqu'à obtention d'une pâte homogène et mousseuse.

> **4** Chauffer l'huile de friture dans une grande casserole ou dans une friteuse jusqu'à ce qu'elle atteigne 180 à 190 °C (un dé de pain doit y brunir en 30 secondes). Plonger les légumes dans la pâte et les faire frire dans l'huile. Procéder en plusieurs fournées.

>5 Égoutter les légumes sur du papier absorbant et les réserver au chaud pendant la cuisson des fournées suivantes.

>6 Pendant ce temps, mélanger les ingrédients de la sauce jusqu'à obtention d'une consistance homogène.

Servir les légumes chauds, accompagné
de sauce au vinaigre balsamique.

Civet de canard au romarin, à la pancetta et aux olives

Pour 4 personnes

Ingrédients

2 cuil. à soupe d'huile d'olive

8 découpes de canard (1,8 kg)

150 g de pancetta, coupée en dés

1 gros oignon, coupé en dés

1 branche de céleri, coupée en dés

1 carotte, coupée en dés

1 gousse d'ail, hachée

175 ml de vin rouge

400 ml de coulis de tomates

1 piment rouge frais, haché

3 brins de romarin frais

12 olives noires

sel et poivre

persil plat frais haché, en garniture

>1 Chauffer l'huile dans un grand faitout, ajouter les découpes de canard et les saisir jusqu'à ce qu'elles soient bien dorées. Les retirer du faitout et les réserver. Procéder en plusieurs fournées si nécessaire.

>2 Retirer l'huile du faitout en n'y conservant que l'équivalent d'une cuillerée à soupe. Ajouter la pancetta et la faire revenir sans cesser de remuer jusqu'à ce qu'elle soit bien dorée.

>3 Ajouter l'oignon, le céleri, la carotte et l'ail, et faire revenir 3 à 4 minutes à feu doux sans cesser de remuer.

>4 Verser le vin et porter à ébullition. Laisser bouillir 1 minute, puis ajouter le coulis de tomates, le piment, le romarin et les olives. Saler et poivrer à volonté.

>5 Remettre le canard dans le faitout et mélanger de façon à le couvrir de sauce.

>6 Couvrir et laisser mijoter environ 1 heure, jusqu'à ce que le canard soit tendre.

Garnir de persil avant de servir.

Ragoût de porc aux haricots borlotti

Pour 4 personnes

Ingrédients

250 g de haricots borlotti secs,
  mis à tremper une nuit
800 g d'échine de porc
1 gros oignon, haché
2 branches de céleri, hachées
1 grosse carotte, hachée
1 piment rouge frais, haché
2 gousses d'ail, hachées
1 brin de romarin frais
1 brin de thym frais
1 feuille de laurier fraîche
600 ml de bouillon de poule
sel et poivre
pain frais,
  en accompagnement

 1 Préchauffer le four à 160 °C (th. 5-6).
Égoutter les haricots et les cuire
10 minutes à l'eau bouillante. Égoutter
et transférer dans une grande cocotte
allant au four.

>2 Couper la viande en cubes,
en laissant la peau le cas échéant.

Servir avec du pain frais
pour saucer.

>**3** Alterner des couches de viande et de
légumes sur les haricots, en parsemant
chaque couche de piment, d'ail, de sel
et de poivre. Enfoncer les brins d'herbes
dans le tout.

>**4** Couvrir de bouillon, fermer la cocotte
et cuire 3 heures au four préchauffé sans
remuer, jusqu'à ce que la viande soit tendre.

149

Ragoût de poisson rustique

Pour 4 personnes

Ingrédients

- 300 g de palourdes fraîches, grattées
- 2 cuil. à soupe d'huile d'olive
- 1 gros oignon, haché
- 2 gousses d'ail, hachées
- 2 branches de céleri, émincées
- 350 g de filets de poisson à chair blanche et ferme
- 250 g d'anneaux de calmars
- 400 ml de fumet de poisson
- 6 tomates olivettes, hachées
- 1 petite botte de thym frais
- sel et poivre
- pain frais, en accompagnement

>1 Nettoyer les palourdes en les passant sous l'eau et en frottant bien les coquilles. Jeter celles dont la coquille est cassée ou celles qui ne se ferment pas au toucher.

>2 Chauffer l'huile dans une grande casserole, ajouter l'oignon, l'ail et le céleri, et faire revenir 3 à 4 minutes, jusqu'à ce qu'ils soient tendres sans avoir bruni.

>3 Pendant ce temps, couper les filets de poisson en cubes.

>4 Ajouter le poisson et le calmar dans la casserole, puis faire revenir 2 minutes à feu doux.

>5 Ajouter le bouillon, les tomates et le thym, puis saler et poivrer à volonté. Couvrir et laisser mijoter 3 à 4 minutes à feu doux.

>6 Ajouter les palourdes, couvrir et cuire encore 2 minutes à feu vif, jusqu'à ce qu'elles soient ouvertes. Jeter les palourdes qui sont restées fermées.

Servir le ragoût sans attendre,
accompagné de pain frais.

Lentilles aux artichauts à la mode d'Ombrie

Pour 4 personnes

Ingrédients

200 g de lentilles du Puy
2 cuil. à soupe d'huile d'olive
2 branches de céleri,
　hachées

1 gousse d'ail, hachée
55 g de tomates séchées,
　hachées
2 cuil. à soupe de sauge
　fraîche hachée

1 cuil. à soupe de romarin
　frais haché
2 poireaux, émincés
500 ml de bouillon
　de légumes

280 g de cœurs
　d'artichauts en bocal,
　égouttés
sel et poivre

> **1** Mettre les lentilles dans une casserole et les couvrir d'eau bouillante. Porter à ébullition et laisser bouillir 10 minutes. Égoutter et réserver.

> **2** Chauffer l'huile dans une grande casserole, ajouter le céleri et le poireau, et faire revenir 2 à 3 minutes, jusqu'à ce qu'ils soient tendres sans avoir bruni.

> **3** Incorporer l'ail, les tomates séchées, la sauge et le romarin.

> **4** Ajouter les lentilles cuites et le bouillon, puis saler et poivrer à volonté. Porter à ébullition.

>5 Réduire le feu, couvrir et laisser mijoter
25 à 30 minutes à feu doux, jusqu'à ce que
les lentilles soient bien tendres.

>6 Incorporer les cœurs d'artichauts
et les réchauffer 2 à 3 minutes.

Servir immédiatement.

Thon grillé au citron, au thym et aux câpres

Pour 4 personnes

Ingrédients

4 steaks de thon,
  d'environ 175 g chacun
4 cuil. à soupe d'huile d'olive
zeste finement râpé et jus
  d'un citron
3 cuil. à soupe de câpres
  en saumure, rincées
2 cuil. à soupe de thym frais
  haché
sel et poivre
quartiers de citron, en garniture

 1 Enduire le thon avec 1 cuillerée à soupe d'huile d'olive, puis le saler et le poivrer.

 2 Mettre l'huile restante, le zeste et le jus de citron, les câpres et le thym dans une petite casserole et chauffer à feu doux.

Servir chaud, garni
de quartiers de citron.

>3 Chauffer un gril en fonte rainuré jusqu'à ce qu'il soit fumant, ajouter le thon et le cuire 2 à 3 minutes de chaque côté. Procéder en plusieurs fournées si nécessaire.

>4 Porter le mélange à base de citron et de câpres à ébullition, puis le verser sur le thon.

Agneau rôti au romarin et au marsala

Pour 6 personnes

Ingrédients

1,8 kg de gigot d'agneau
2 gousses d'ail, émincées
8 cuil. à soupe d'huile d'olive

2 cuil. à soupe de feuilles
de romarin frais
900 g de pommes de terre,
coupées en cubes de 2,5 cm

6 feuilles de sauge fraîche,
hachées
150 ml de marsala
sel et poivre

> **1** Préchauffer le four à 220 °C (th. 7-8). Pratiquer de petites incisions dans la viande à l'aide d'un couteau tranchant, puis y piquer l'ail et la moitié des feuilles de romarin.

> **2** Mettre l'agneau dans un plat allant au four et l'arroser avec la moitié de l'huile. Cuire 15 minutes au four préchauffé.

> **3** Réduire la température du four à 180 °C (th. 6). Retirer l'agneau du four, puis le saler et le poivrer à volonté. Le retourner, le remettre au four et poursuivre la cuisson encore 1 heure.

> **4** Mettre les pommes de terre dans un autre plat allant au four, ajouter l'huile restante et bien mélanger. Ajouter le romarin restant et la sauge. Mettre le plat au four à côté de celui contenant l'agneau et cuire 40 minutes.

>5 Retirer l'agneau du four, le retourner et l'arroser de marsala. Remettre au four et cuire encore 15 minutes.

>6 Transférer l'agneau sur une planche à découper et le couvrir de papier d'aluminium. Mettre le plat sur un brûleur de la gazinière et porter le jus à ébullition à feu vif. Poursuivre la cuisson jusqu'à ce qu'il devienne sirupeux.

Découper la viande, puis la servir
accompagnée de pommes de terre
et arrosée de jus de cuisson.

Compotée de légumes

Pour 4 personnes

Ingrédients

4 cuil. à soupe d'huile d'olive

2 branches de céleri, émincées

2 oignons rouges, émincés

450 g d'aubergines, coupées en dés

1 gousse d'ail, finement hachée

5 tomates olivettes, hachées

1 cuil. à soupe de sucre

3 cuil. à soupe de vinaigre de vin rouge

3 cuil. à soupe d'olives vertes dénoyautées

sel et poivre

2 cuil. à soupe de câpres égouttées

4 cuil. à soupe de persil plat frais haché

ciabatta, en accompagnement

>**1** Chauffer la moitié de l'huile dans un grand faitout à fond épais, ajouter le céleri et les oignons, et cuire 5 minutes à feu doux en remuant de temps en temps, jusqu'à ce qu'ils soient tendres sans avoir bruni.

>**2** Ajouter l'huile restante et les aubergines. Cuire 5 minutes en remuant souvent, jusqu'à ce que les aubergines commencent à se colorer.

>**3** Ajouter l'ail, les tomates, le vinaigre et le sucre, et bien mélanger.

>**4** Couvrir le tout avec un disque de papier sulfurisé et laisser mijoter 10 minutes à feu doux.

> **5** Retirer le papier sulfurisé. Incorporer les olives et les câpres dans le faitout, puis saler et poivrer.

> **6** Transférer dans un plat de service et laisser tiédir.

Garnir de persil et servir accompagné
de ciabatta.

Bœuf braisé au vin rouge

Pour 4 à 6 personnes

Ingrédients
2 cuil. à soupe d'huile d'olive
1 kg de bœuf à braiser,
 en une seule pièce
1 gros oignon, émincé
2 carottes, hachées
2 branches de céleri, émincées
2 feuilles de laurier
1 bâton de cannelle
400 ml de vin rouge
400 ml de bouillon de bœuf
sel et poivre

>1 Chauffer l'huile dans un grand faitout, ajouter la pièce de bœuf et la saisir sur toutes ses faces. Retirer la viande du faitout et la réserver.

>2 Mettre l'oignon, les carottes et le céleri dans le faitout et déposer le bœuf sur le tout. Ajouter le laurier, la cannelle, le vin et le bouillon. Saler et poivrer.

Découper la viande et la servir
arrosée de sauce.

>**3** Porter à ébullition et laisser mijoter
environ 2 heures à feu doux en retournant
le bœuf de temps en temps, jusqu'à ce
qu'il soit tendre.

>**4** Retirer le bœuf du faitout et le réserver
au chaud. Filtrer la sauce, la porter
à ébullition à feu vif et la laisser bouillir
jusqu'à ce qu'elle ait réduit de moitié.

Desserts

>4

>5

>6

Tiramisù

Pour 6 personnes

Ingrédients

4 jaunes d'œufs
100 g de sucre en poudre
1 cuil. à café d'extrait de
  vanille

500 g de mascarpone
2 blancs d'œufs
175 ml de café noir corsé
125 ml de rhum
  ou de cognac

24 boudoirs
2 cuil. à soupe de cacao
  en poudre
2 cuil. à soupe de chocolat
  noir finement râpé

>1 Fouetter les jaunes d'œufs avec le sucre et l'extrait de vanille dans une jatte résistant à la chaleur posée sur une casserole d'eau frémissante.

>2 Dès que la préparation devient pâle et qu'elle forme un ruban lorsqu'elle retombe du fouet, retirer la jatte de la casserole et laisser refroidir. Fouetter régulièrement de façon à éviter la formation d'une peau.

>3 Une fois que la préparation est froide, y incorporer le mascarpone en fouettant vigoureusement.

>4 Monter les blancs d'œufs en neige souple, puis les incorporer à la préparation.

5 Mélanger le café et le rhum dans une assiette creuse, puis y plonger brièvement 8 boudoirs. Déposer les boudoirs imbibés dans un plat de service.

6 Répartir un tiers de la préparation au mascarpone sur les boudoirs en l'étalant bien. Répéter l'opération deux fois avec les ingrédients restants. Mettre au réfrigérateur au moins 1 heure.

Saupoudrer de cacao en poudre,
parsemer de chocolat râpé et servir.

175

Tarte à la ricotta, au chocolat et aux noix

Pour 6 personnes

Ingrédients
115 g de sucre en poudre
125 g de beurre doux, ramolli
2 jaunes d'œufs
zeste finement râpé
  d'un citron
250 g de farine

Garniture
125 g de chocolat noir,
  brisé en morceaux
250 g de ricotta
40 g de sucre glace, un peu
  plus pour saupoudrer
2 cuil. à soupe de rhum ambré

1 cuil. à café d'extrait
  de vanille
100 g de noix, finement
  hachées

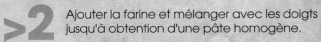

> **1** Préchauffer le four à 180 °C (th. 6). Mettre le sucre en poudre, le beurre, les jaunes d'œufs et le zeste de citron dans une jatte et bien battre le tout.

> **2** Ajouter la farine et mélanger avec les doigts jusqu'à obtention d'une pâte homogène.

> **3** Envelopper la pâte de film alimentaire et laisser reposer 10 minutes à température ambiante.

> **4** Faire fondre le chocolat au bain-marie, dans une jatte placée sur une casserole d'eau frémissante.

>5 Mélanger la ricotta, le sucre glace, le rhum, l'extrait de vanille et les noix. Ajouter le chocolat fondu et bien mélanger.

>6 Étaler les deux tiers de la pâte et en couvrir un moule à tarte à fond amovible de 23 cm de diamètre.

>7 Répartir la garniture à la ricotta et au chocolat sur le fond de tarte et lisser la surface.

>8 Étaler la pâte restante et la découper en lanières. Déposer les lanières en treillage sur la tarte. Placer le moule sur une plaque de four et cuire 35 à 40 minutes au four préchauffé, jusqu'à ce que la tarte soit ferme et dorée.

Servir chaud, saupoudré
de sucre glace.

Pêches farcies à l'amaretto

Pour 4 personnes

Ingrédients
55 g de beurre doux
4 pêches
2 cuil. à soupe de sucre roux
55 g de biscuits amaretti,
   émiettés
2 cuil. à soupe d'amaretto
125 ml de crème fraîche
   liquide, en garniture

> **1** Préchauffer le four à 180 °C (th. 6).
Avec 15 g de beurre, graisser un
plat allant au four assez large pour
contenir les 8 oreillons de pêches
en une seule couche.

> **2** Couper les pêches en deux et ôte
les noyaux.

Arroser les pêches d'amaretto, les napper de crème fraîche et servir chaud.

>3 Dans une jatte, battre le beurre restant en crème avec le sucre, puis ajouter les miettes de biscuits et bien mélanger.

>4 Répartir les oreillons de pêches dans le plat, côté coupé vers le haut, et les farcir avec le mélange précédent. Cuire 20 à 25 minutes au four préchauffé, jusqu'à ce que les pêches soient tendres.

Biscotti aux amandes

Pour environ 35 biscotti

Ingrédients

250 g d'amandes entières, mondées

200 g de farine, un peu plus pour saupoudrer

175 g de sucre en poudre, un peu plus pour saupoudrer

1 cuil. à café de levure chimique

½ cuil. à café de cannelle en poudre

2 œufs

2 cuil. à café d'extrait de vanille

> **1** Préchauffer le four à 180 °C (th. 6). Chemiser 2 plaques de four avec du papier sulfurisé.

> **2** Concasser grossièrement les amandes, et laisser certaines entières.

> **3** Mélanger la farine, le sucre, la levure et la cannelle dans une jatte. Ajouter les amandes.

> **4** Battre les œufs avec l'extrait de vanille dans une petite jatte, puis les ajouter au mélange précédent et mélanger jusqu'à obtention d'une pâte homogène.

> **5** Déposer la pâte sur un plan fariné et la pétrir légèrement.

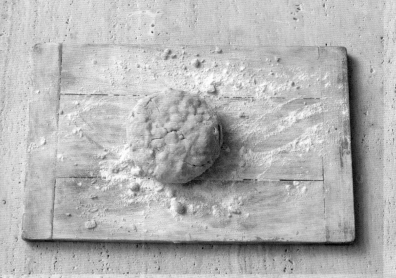

> **6** Diviser la pâte en deux et façonner des boudins de 5 cm de diamètre. Répartir sur les plaques et saupoudrer de sucre glace. Cuire 20 à 25 minutes au four préchauffé, jusqu'à ce que les biscuits soient fermes.

> **7** Retirer du four et laisser tiédir, puis transférer sur une planche à découper. Découper des tranches de 1 cm d'épaisseur. Pendant ce temps, réduire la température du four à 160 °C (th. 5-6).

> **8** Répartir les tranches sur les plaques de four. Cuire encore 15 à 20 minutes, jusqu'à ce que les biscotti soient bien secs et croustillants. Transférer sur une grille et laisser refroidir complètement.

Conserver dans un récipient hermétique
afin de préserver le croquant.

Beignets
à la mode de Venise

Pour environ 24 beignets

Ingrédients

100 g de raisins secs
75 g de zestes d'agrumes
  confits, hachés
zeste râpé d'un citron

3 cuil. à soupe de grappa
  ou de rhum
400 g de farine
11 g de levure de boulanger
  déshydratée

55 g de sucre
  en poudre
1 petit œuf, battu
250 ml de lait, tiédi
40 g de pignons

huile de tournesol,
  pour la friture
sucre glace,
  pour saupoudrer

>**1** Mettre les raisins secs, les zestes d'agrumes confits, la grappa et le zeste de citron râpé dans une jatte et laisser macérer 1 heure.

>**2** Mettre la farine, le sucre et la levure dans une jatte, puis ajouter l'œuf avec assez de lait pour obtenir une pâte épaisse.

>**3** Incorporer le mélange à base de raisins secs et les pignons à la pâte.

>**4** Couvrir et laisser lever 3 heures, jusqu'à ce que la pâte ait doublé de volume.

>5 Chauffer l'huile dans une casserole
ou une friteuse jusqu'à ce qu'elle atteigne
180 à 190 °C (un dé de pain doit y brunir
en 30 secondes).

>6 Plonger des cuillerées à soupe de
pâte dans l'huile et faire frire jusqu'à
obtention de beignets bien dorés.
Égoutter sur du papier absorbant.

Servir les beignets chauds, saupoudrés de sucre glace.

Pêches à la cannelle et au limoncello

Pour 4 personnes

Ingrédients
4 pêches
70 g de sucre roux
1 bâton de cannelle
3 cuil. à soupe d'eau froide
2 cuil. à soupe de limoncello
crème fouettée, en garniture

> **1** Couper les pêches en deux et ôter les noyaux.

> **2** Mettre les oreillons de pêches dans une grande casserole. Ajouter le sucre, la cannelle et l'eau, puis porter à ébullition.

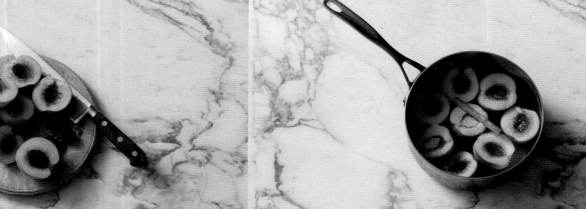

Servir tiède ou froid, garni
de crème fouettée.

>3 Couvrir et cuire 10 minutes à feu doux
en remuant de temps en temps, jusqu'à
ce que les pêches soient tendres.

>4 Retirer du feu, incorporer le limoncello
et laisser macérer 20 minutes avant de servir.

Tartelettes aux figues

Pour 4 personnes

Ingrédients

250 g de pâte feuilletée
  prête à l'emploi
farine, pour saupoudrer
8 figues fraîches mûres

1 cuil. à soupe de sucre
  en poudre
½ cuil. à café de cannelle
  en poudre
lait, pour enduire

crème glacée à la vanille,
  en accompagnement

>1 Préchauffer le four à 190 °C (th. 6-7). Sur un plan de travail fariné, étaler la pâte de sorte qu'elle ait 5 mm d'épaisseur.

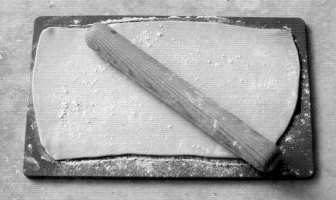

>2 En s'aidant d'une soucoupe, découper 4 ronds de 15 cm de diamètre et les poser sur une plaque de four farinée.

>3 À l'aide d'un couteau tranchant, tracer un cercle sur chaque rond de pâte à 1 cm du bord. Piquer uniformément le centre avec les dents d'une fourchette.

>4 Couper les figues en quartiers et déposer 8 quartiers au centre de chaque rond de pâte.

> **>5** Mélanger le sucre et la cannelle, et saupoudrer les figues du mélange obtenu.

> **>6** Enduire les bords de la pâte avec du lait et cuire 15 à 20 minutes au four préchauffé, jusqu'à ce que les tartelettes aient levé et soient dorées.

Servir les tartelettes chaudes,
accompagnées de crème glacée
à la vanille.

Gâteau de Noël toscan

Pour 14 personnes

Ingrédients

115 g de noisettes
115 g d'amandes
85 g de zestes d'agrumes
  confits hachés
55 g d'ananas confit, haché

55 g d'abricots secs,
  finement hachés
zeste râpé d'une orange
55 g de farine
2 cuil. à café de cacao
  en poudre

1 cuil. à café de cannelle
  en poudre
¼ de cuil. à café de coriandre
  en poudre
¼ de cuil. à café de noix
  muscade fraîchement râpée

¼ de cuil. à café de clous
  de girofle en poudre
115 g de sucre en poudre
175 g de miel liquide
sucre glace,
  pour saupoudrer

>1 Préchauffer le four à 180 °C (th. 6). Chemiser un moule de 20 cm avec du papier sulfurisé.

>2 Étaler les noisettes sur une plaque et les passer 10 minutes au four préchauffé, jusqu'à ce qu'elles soient dorées. Les sortir du four et les frotter avec un torchon pour les peler.

>3 Pendant ce temps, étaler les amandes sur une plaque et les passer 10 minutes au four, jusqu'à ce qu'elles soient dorées. Bien surveiller la cuisson car les amandes brûlent très rapidement.

>4 Réduire la température du four à 150 °C (th. 5). Hacher les noisettes et les amandes, les mettre dans une grande jatte et ajouter les zestes d'agrumes confits, les abricots secs, l'ananas confit et le zeste d'orange. Bien mélanger.

>5 Tamiser la farine, le cacao, la cannelle, la coriandre, la noix muscade et le clou de girofle dans la jatte et bien mélanger.

>6 Mettre le sucre en poudre et le miel dans une casserole et chauffer à feu doux sans cesser de remuer jusqu'à ce que le sucre soit dissous. Porter à ébullition et cuire 5 minutes, jusqu'à ce que la préparation devienne plus épaisse et foncée.

>7 Incorporer le mélange à base de noisettes et d'amandes dans la casserole et retirer du feu.

>8 Répartir la préparation dans le moule et lisser la surface. Cuire 1 heure au four préchauffé, puis déposer le moule sur une grille. Laisser refroidir complètement, puis démouler et ôter le papier sulfurisé.

Avant de servir, saupoudrer de sucre glace et découper en très fines parts.

Sabayon

Pour 4 personnes

Ingrédients
4 jaunes d'œufs
60 g de sucre en poudre
5 cuil. à soupe de marsala
biscuits amaretti,
  en accompagnement

 1 Mettre les jaunes d'œufs et le sucre dans une jatte résistant à la chaleur et fouetter 1 minute.

 2 Incorporer délicatement le marsala.

Servir accompagné
de biscuits amaretti.

>3 Placer la jatte sur une casserole d'eau
frémissante et fouetter vigoureusement
10 à 15 minutes, jusqu'à ce que
la préparation épaississe et devienne
crémeuse et mousseuse.

>4 Verser immédiatement le sabayon
dans des coupes en verre.

Raviolis sucrés au miel et au pecorino

Pour 4 personnes

Ingrédients

200 g de farine, un peu plus
   pour saupoudrer
70 g de sucre en poudre

2 œufs, battus
85 g de pecorino, râpé
4 cuil. à soupe d'huile
   d'olive douce

6 cuil. à soupe de miel
   de fleurs
cannelle en poudre,
   pour saupoudrer

>**1** Tamiser la farine et le sucre dans une jatte et creuser un puits au centre.

>**2** Verser les œufs battus dans le puits et mélanger à l'aide d'une fourchette jusqu'à obtention d'une pâte.

>**3** Poser la pâte sur un plan de travail légèrement fariné et la pétrir délicatement jusqu'à ce qu'elle soit homogène.

>**4** Étaler la pâte de sorte qu'elle ait 3 mm d'épaisseur. Découper 24 ronds à l'aide d'un emporte-pièce de 8 cm de diamètre.

> **5** Répartir le pecorino sur 12 ronds de pâte.

> **6** Enduire les bords des ronds de pâte garnis avec un peu d'eau et couvrir avec les ronds non garnis, en pressant bien les bords.

> **7** Chauffer l'huile dans une poêle en veillant à ce qu'elle ne se mette pas à fumer, ajouter les raviolis et les cuire 1 min 30 à 2 minutes de chaque côté, jusqu'à ce qu'ils soient dorés. Procéder en plusieurs fournées si nécessaire.

> **8** Réchauffer le miel à feu doux dans une petite casserole et en arroser les raviolis.

Saupoudrer de cannelle
et servir chaud.

Gâteau de polenta aux amandes

Pour 6 personnes

Ingrédients

200 g de beurre doux, ramolli

200 g de sucre roux en poudre

jus et zeste finement râpé d'une petite orange

3 œufs, battus

200 g de polenta instantanée

200 g de poudre d'amandes

1 cuil. à café de levure chimique

crème glacée à la vanille, en accompagnement

>1 Préchauffer le four à 180 °C (th. 6). Beurrer un moule à manqué de 23 cm de diamètre et chemiser le fond avec du papier sulfurisé.

>2 Battre le beurre restant en crème avec le sucre à l'aide d'un batteur électrique jusqu'à ce que le mélange blanchisse.

>3 Ajouter le jus et le zeste d'orange, les œufs et la poudre d'amandes. Tamiser la polenta et la levure, les ajouter à la préparation et battre le tout jusqu'à obtention d'une consistance homogène.

>4 Répartir la préparation obtenue dans le moule et lisser la surface à l'aide d'une spatule.

Cuiré 35 à 40 minutes au four préchauffé,
jusqu'à ce que le gâteau soit ferme
et doré. Retirer du four et laisser reposer
20 minutes dans le moule.

Transférer le gâteau sur une grille
et le laisser refroidir complètement.

Couper en parts et servir accompagné
de crème glacée à la vanille.

Sorbet au prosecco et ses raisins

Pour 4 personnes

Ingrédients
150 g de sucre en poudre
150 ml d'eau
zeste finement paré d'un citron
jus d'un citron
350 ml de prosecco, ou autre
  vin italien pétillant
raisins et brins de menthe
  fraîche, pour la décoration

>1 Mettre le sucre et l'eau dans une casserole et ajouter le zeste de citron.

>2 Chauffer à feu doux jusqu'à ce que le sucre soit dissous, puis porter à ébullition et laisser bouillir 2 à 3 minutes, jusqu'à réduction de moitié. Laisser refroidir et ôter le zeste de citron.

Décorer de grains de raisin
et de menthe fraîche avant
de servir.

>**3** Incorporer le jus de citron et le vin au sirop
et congeler le tout dans une sorbetière en
suivant les instructions du fabriquant. À défaut
de sorbetière, verser la préparation dans
un récipient adapté à la congélation et mettre
au congélateur sans couvrir en fouettant
toutes les heures jusqu'à congélation totale.

>**4** Avant de servir, laisser le sorbet revenir
à température ambiante de sorte
qu'il soit moins dur, puis prélever des boules
et les répartir dans des coupes à dessert.

Panna cotta
aux prunes épicées

Pour 4 personnes

Ingrédients
Panna cotta
4 feuilles de gélatine
300 ml de lait

250 g de mascarpone
100 g de sucre en poudre
1 gousse de vanille, fendue
   en deux dans la longueur

Prunes épicées
8 prunes rouges, coupées
   en deux et dénoyautées
3 cuil. à soupe de miel liquide

1 bâton de cannelle
zeste d'une orange
1 cuil. à soupe de vinaigre
   balsamique

>1 Faire tremper les feuilles de gélatine 10 minutes dans 4 cuillerées à soupe de lait.

>2 Mettre le lait restant, le mascarpone, le sucre et la gousse de vanille dans une casserole. Chauffer à feu doux sans cesser de remuer jusqu'à obtention d'une consistance homogène, puis porter à ébullition.

>3 Retirer la casserole du feu, jeter la gousse de vanille et incorporer le mélange à base de gélatine en remuant jusqu'à ce que la gélatine soit bien dissoute.

>4 Répartir la préparation obtenue dans 4 ramequins d'une contenance de 200 ml. Laisser prendre au réfrigérateur.

Mettre les prunes, le miel, la cannelle, le zeste d'orange et le vinaigre dans une casserole, couvrir et cuire 10 minutes à feu doux, jusqu'à ce que les prunes soient tendres.

Plonger rapidement la base de chaque ramequin dans de l'eau chaude et démouler sur des assiettes à dessert.

Servir la panna cotta accompagnée
de prunes épicées.

Crème glacée à la mode sicilienne

Pour 6 à 8 personnes

Ingrédients

400 g de ricotta

1 cuil. à café d'eau de fleur d'oranger

175 g de sucre glace

200 ml de crème fraîche épaisse

55 g d'angélique, hachée

100 g de zestes d'agrumes confits hachés

55 g de cerises confites, hachées

40 g de chocolat noir, haché

40 g de pistaches, hachées fruits confits, en garniture

> **1** Presser la ricotta au travers d'un tamis à l'aide d'une cuillère en bois. Procéder au-dessus d'une jatte.

> **2** Incorporer le sucre glace et l'eau de fleur d'oranger en battant jusqu'à obtention d'une consistance homogène.

> **3** Fouetter la crème fraîche jusqu'à ce qu'elle soit bien ferme et l'incorporer à la préparation précédente.

> **4** Congeler le tout dans une sorbetière ou transférer dans un récipient adapté à la congélation et mettre au congélateur jusqu'à ce que la crème ait pris.

>5 Incorporer les zestes d'agrumes confits, l'angélique, les cerises confites, le chocolat et les pistaches.

>6 Transférer le tout dans un moule à bombe ou à pudding d'une contenance de 1,2 l et mettre au congélateur jusqu'à ce que la crème soit bien ferme. Laisser reposer 10 à 15 minutes à température ambiante avant de démouler.

Découper la crème glacée en parts
et servir accompagné de fruits confits.

219

Granita au citron

Pour 4 personnes

Ingrédients
450 ml d'eau
115 g de sucre cristallisé
225 ml de jus de citron
zeste râpé d'un citron

>1 Dans une casserole à fond épais, chauffer l'eau à feu doux, ajouter le sucre et remuer jusqu'à ce qu'il soit dissous. Porter à ébullition, puis retirer du feu et laisser refroidir.

>2 Incorporer le jus et le zeste de citron au sirop refroidi.

Répartir dans des coupes
et servir immédiatement.

>3 Verser le mélange dans un récipient
adapté à la congélation et mettre
3 à 4 heures au congélateur.

>4 Retirer le récipient du congélateur et en plonger
le fond dans de l'eau chaude. Démouler le bloc
de glace et le concasser, puis mixer dans un
robot de cuisine adapté de façon à obtenir de
petits cristaux de glace.

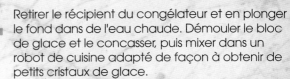

Index